연세 한국어 3-1

연세대학교 한국어학당 편

연세대학교 대학출판문화원

연세 한국어 **3-1** (영어판)

편저자 연세대학교 한국어학당 교재편찬위원회
집필진 정희정 • 한상미 • 박혜란 • 유연희
발행 연세대학교 대학출판문화원

주소 서울시 서대문구 연세로 50
전화 02) 2123-3380~2
팩스 02) 2123-8673
ysup@yonsei.ac.kr
http://www.yonsei.ac.kr/press
등록 1955년 10월 13일 제9-60호
인쇄 네오프린텍(주)
본문 더그라프
삽화 디투웍스
녹음 (주)반도음반
성우 곽윤상 • 윤미나 • 전광주 • 홍소영

2013년 3월 5일 1판 1쇄   2015년 07월 30일 1판 5쇄
ISBN 978-89-97578-83-2(08710)
ISBN 978-89-97578-82-5 (세트)

값 20,000원 (CD포함)

PREFACE

Having the highest reputation in the Korean Language Education for more than 50 years, the Korean Language Institute of Yonsei University Language Research and Education Center has compiled a huge amount of textbooks to enhance the quality of the Korean Language Education. Recently, the demand for the Korean language has been increased by foreigners around the world as well as Koreans living out of the nation. For this reason, the demand of the learners about textbooks has become diverse, too. Therefore, the Korean Language Institute of Yonsei University Language Research and Education Center publishes a new set of textbooks for the various learners to learn the Korean Language and Korean culture.

The textbooks published by the Korean Language Institute of Yonsei University Language Research and Education Center are classified into three parts: 'Yonsei Korean 1' and 'Yonsei Korean 2' for beginners, 'Yonsei Korean 3' and 'Yonsei Korean 4' for intermediates, and finally 'Yonsei Korean 5' and 'Yonsei Korean 6' are for advanced learners. Each book is composed to develop the communicative function which is required according to the capability of the Korean usage.

This set of 'Yonsei Korean' is an integrated textbook, made up of various kinds of tasks and activities as well as focused practices of vocabulary and grammar to enhance all of the four communicative skills like listening, speaking, reading and writing. Based on the interesting topics and situations, learners can learn Korean, performing a lot of communicative functions.

We believe that 'Yonsei Korean' is a very effective tool for all students aiming to increase their proficiency in Korean as a foreign language. We trust that it will be helpful to those who are both studying Korean at the Korean Language Institute of the Yonsei University Language Research and Education Center, as well as in many other locations overseas.

Yonsei University Language Research and Education Center
Korean Language Institute
Compilation Committee

일러두기

- '연세 한국어 3'은 한국어를 배우려는 외국인과 교포 성인 학습자를 위한 중급 단계의 책으로 내용은 총 10개의 과로 이루어져 있으며, 각 과는 5개의 항으로 이루어져 있다. '연세 한국어 3'은 중급 수준의 한국어 숙달도를 지닌 학습자가 꼭 알아야 할 주제를 중심으로 구성되었으며 이와 함께 필수적인 어휘와 문법, 문화와 사고방식을 소개함으로써 한국에 대한 이해를 넓히고자 하였다.

- 각 과의 앞에는 해당 과의 제목 아래에 각 항의 제목과 과제, 어휘, 문법, 문화를 제시하여 각 과에서 다룰 내용을 한 눈에 알아보기 쉽게 하였다. 그리고 매 과의 마지막 항은 복습 항으로, 그 과에서 다룬 내용을 종합적으로 복습할 수 있도록 하였다. 문화 부분은 각 과의 주제와 관련된 내용을 선정하여 다루었다.

- 각 과의 제목은 주제에 해당하는 명사로 제시하였으며, 각 항의 제목은 본문 대화 부분에 나오는 중요 문장으로 제시하였다.

- 각 항은 제목, 학습 목표, 삽화와 도입 질문, 본문 대화, 어휘, 문법 연습, 과제, 대화 번역문, 그리고 문법 설명의 순서로 구성되어 있다.

- 학습 목표에는 학습자들이 학습해야 할 의사소통적 과제와 어휘, 문법을 제시하였다.

- 도입 질문은 주제와 기능을 쉽게 이해할 수 있는 삽화와 함께 제시하여 학습자로 하여금 주제와 과제에 대한 흥미와 호기심을 가질 수 있도록 하였다.

- 본문 대화는 각 과의 주제와 관련된 가장 전형적이고 대표적인 대화 상황을 8명의 주요 인물의 일상생활을 중심으로 설정하고자 하였으며 각각 3개의 대화 쌍으로 구성하였다.

- 어휘는 각 과의 주제나 기능과 관련된 어휘 목록을 선정하여 제시하고 연습 문제를 통해 확인하도록 하였으며, 과제에 나오는 새 단어는 과제 밑에 번역을 붙였다. '한국어 3'에서 새로 다룬 단어는 약 900여개이다.

- 문법 연습은 각 과에서 다루어야 할 핵심 문법 사항을 각 항마다 2개씩 추출하여 연습 문제의 형태로 제시하였다. 그리고 문법 설명 부분에서 해당 문법에 대해 학습자의 모국어로 설명하고 각각의 예문을 제시하였다.

- 과제는 학습 목표에서 제시한 의사소통 기능에 부합되는 것으로 각 항마다 2개를 제시하였다. 특히 과제 1은 각 항에서 다룬 주요 문법을 활용한 단순 활동으로, 과제 2는 각 항의 핵심 기능을 종합적으로 수행하는 통합 활동으로 구성하였다. 과제에서는 말하기, 듣기, 읽기, 쓰기의 네 기능을 적절히 제시하였다.

- 각 항의 마지막 부분에는 대화 번역문과 문법 설명을 제시하였다.

- 문화는 각 과의 끝 부분에 실었는데 각 과의 주제와 관련된 한국 문화를 학습자의 눈높이에 맞추어 쉽게 설명하는 방식으로 기술하였다. 또 자기 나라의 문화와 비교해 보거나 자신의 경우를 말하게 하는 등 비교문화적인 관점을 바탕으로 언어 학습 활동과 연계하도록 구성하여 그 내용이 문화적 지식에 그치지 않고 한국어 능력과 통합적으로 학습될 수 있도록 하였다.

- 색인에서는 각 과에서 다룬 문법과 어휘를 가나다 순으로 정리하였으며 해당 본문의 과와 항을 함께 제시하였다.

INTRODUCTION

- 'Yonsei Korean 3' is an intermediate level textbook for foreigners and adults overseas Koreans. It is composed of 10 units and each unit contains 5 lessons. Each unit covers topics which an intermediate-learner has to know. Its goal is to deepen the understanding about Korea through introducing essential vocabulary and grammar, as well as the Korean culture and the Korean way of thinking.

- In the beginning of each unit, under the title, we indicate each chapter's title, task, vocabulary, grammar and cultural topics so that the learners can have a good grasp of what is to be studied. The last lesson of each unit is a 'Let's Review' section where the learners can review what was dealt with in the unit. In the 'Culture' section, topics related to each unit are presented.

- The title of each unit is shown as a noun which is related to the covered topic, and the title of each lesson is a topic sentence from the dialogue.

- Each lesson is composed in the order of the title, study objectives, illustration and introductory questions, main dialogue, vocabulary, grammar exercises, task, dialogue translation and the explanation of the grammar.

- The study objectives of each unit indicate what the learners have to study regarding the communicative task, vocabulary and grammar.

- The introductory questions are presented along with the illustrations, which help the learners increase the interests and the motivation to the topics and tasks of each unit.

- For the main dialogues, we strove to choose the most typical and representative situations which are related to the topic of the unit and to make dialogues comprised from the everyday life of eight main characters. Dialogues of each lesson are composed of three question-and -answer sets.

- For the vocabulary, we picked the words which are related to each unit's topic and function and helped the learners test their vocabulary through practice questions. New words from the 'Task' section in each lesson are translated at the bottom of each section. The amount of vocabulary covered in 'Korean 3' is approximately 900 words.

- In 'Grammar Practice', two crucial new grammatical forms from each lesson are presented in the form of exercises. In the grammar explanation part, the relevant grammar is explained in the learner's native language with examples.

- The 'Task' section is composed of activities that are adequate for each lesson's communicative objectives. Two related activities are presented for each lesson. Task 1 is to elicit the actual usage of the core grammars through activities related to the functions. Task 2 is composed of overall exercises of core functions in each lesson.In the 'Task' section,language skills - speaking, listening, reading and writing are appropriately presented.

- At the end of each chapter the English translation of the dialogue and grammar explanations are presented.

- The 'Culture' section is at the end of each unit with a simple explanation about the Korean culture which was covered in the unit. There are also activities for the learners to compare the culture of their country with that of Korea, and to speak their own instances from their own cultural perspectives.The goal of this section is to combine cultural knowledge with the newly learnt language ability so that students practice it as a combined skill.

- In the index, the grammar and vocabulary of each unit are organised in alphabetical order (가나다 order), and the applicable passages of the unit and the lesson are also indicated.

차례

CONTENTS

3-1

3-2

제목	소제목	과제	어휘	문법	문화
06 모임 문화	할머니께 인사부터 드리고요	가족 행사 참여하기	가족 행사 관련 어휘	-어다가 이라도	모임 문화
	너한테 안부 전해 달래	안부 전하기	안부 관련 어휘	-더라 -다니요?	
	신입생 환영회가 있는데 오실 수 있지요?	환영 모임에 초대하기	신입생 환영 모임 관련 어휘	-고 나서 -지	
	간단하게 차나 마시지요	회식 모임에 참석하기	직장 생활 모임 관련 어휘	-는다니까 -지요	
07 실수와 사과	숙제를 낸다는 것이 일기장을 냈어요	실수에 대해 이야기하기	실수 관련 어휘	-는다는 것이 -을까 봐	문화 충격과 실수
	하숙집 친구들은 가족 같은 사이잖아요	문화 충격 경험 이야기하기	한국 생활 예절 관련 어휘	-어 버리다 -잖아요	
	오히려 제가 미안한데요	사과하기	사과 관련 어휘	-고 해서 -지 그래요?	
	다른 방법으로 미안함을 표현하기도 해요	사과 경험 이야기하기	이해 관련 어휘	-고도 -단 말이에요?	
08 학교 생활	같이 의논해 보도록 하자	야유회 계획하기	야유회 관련 어휘	-으면서도 -도록 하다	한국의 학교
	우리 언어 교환 할까요?	언어 교환 일정 짜기	언어 교환 관련 어휘	어찌나 -는지 -고 밀다	
	친한 친구한테는 말할지도 모르잖아요	고민 말하기	고민·걱정 관련 어휘	-고는 -을지도 모르다	
	한국 대학교에 입학하고 싶은데요	상담하기	상담 관련 어휘	-으면 되다 -이라서	
09 부탁과 거절	미안하지만 음료수 좀 부탁해도 될까?	부탁하기 Ⅰ	부탁 관련 어휘 1	-기는요 -느라고	언어 예절
	사진 좀 찍어 주실 수 있으세요?	부탁하기 Ⅱ	부탁 관련 어휘 2	담화 표지 -게	
	어떻게 하지요? 어려울 것 같은데요	거절하기 Ⅰ	거절 관련 어휘 1	-다니 -게 하다	
	좀 곤란할 것 같은데요	거절하기 Ⅱ	거절 관련 어휘 2	-는다지요? -을 건가요?	
10 어제와 오늘	영화를 보러 가곤 했어요	과거 회상하기	시간 관련 어휘	-다가도 -곤 하다	한강의 과거와 현재
	10년 전에는 어땠는데요?	현재와 과거 비교하기	비교 관련 어휘	전만 해도 -는다고 할 수 있다	
	한국에 오지 않았다면 어땠을까요?	가정 표현하기	추측 관련 어휘	-었다면 -었을 것이다	
	집안일은 물론 아이를 돌보기까지 한대요	미래 예측하기	미래 생활 관련 어휘	-듯이 은 물론	

CONTENTS MAP

톰슨 제임스
미국 기자

제임스의 하숙집 친구

요시다 리에
일본 은행원

제임스의 하숙집 친구

츠베토바 마리아
러시아 대학생

제임스의 반 친구

왕 웨이
중국 회사원(연세무역)

제임스의 반 친구

김미선
한국 대학원생

마리아의 방 친구/민철의 여자 친구

정민철
한국 여행사 직원

미선의 남자 친구

이영수
한국 대학생

제임스와 리에의 하숙집 친구

오정희
한국 회사원(연세무역)

웨이의 회사 동료

제1과 취미생활

01 취미가 뭐예요?

학습 목표 ● 과제 취미에 대해 말하기 ● 문법 −던데요, −네요 ● 어휘 취미 관련 어휘

두 사람은 무슨 이야기를 합니까?
여러분의 취미는 무엇입니까?

시간을 내다
to make time

마음을 먹다
to be
determined

가능하다
to be possible

모으다
to collect

세계
the world

거의
almost

◀》 CD1:01~02

제임스 　미선 씨는 취미가 뭐예요?

미선 　저는 여행을 좋아해서 시간이 있을 때마다 여행을 가요.

제임스 　그래요? 시간을 내기가 힘들지 않아요?

미선 　어렵기는 하지만 마음만 먹으면 시간을 내는 건 가능하던데요.
　　　제임스 씨는요?

제임스 　저는 우표 모으는 것을 좋아해요.
　　　세계 여러 나라의 우표를 거의 5,000장 정도 모았어요.

미선 　정말 많이 모았네요.

어휘

01 [보기]에서 알맞은 어휘를 골라 빈칸에 쓰십시오.

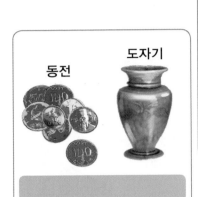

동전　도자기

독서

여행

하다

바둑

장기

[보기]　수집하다
　　　　감상하다
　　　　두다
　　　　치다
　　　　하다

오페라

연극

탁구

테니스

02 어떤 취미가 어울립니까?

1) 저는 음악을 좋아합니다.　　　　　　　　　　　　　　(오페라 감상)
2) 저는 새로운 곳에 가는 것을 좋아합니다.　　　　　　　(　　　　　　)
3) 저는 집에 있는 것을 좋아합니다.　　　　　　　　　　(　　　　　　)
4) 저는 움직이는 것을 좋아합니다.　　　　　　　　　　(　　　　　　)
5) 저는 오래된 물건을 좋아합니다.　　　　　　　　　　(　　　　　　)

문법 연습

–던데요

01 다음 그림을 보고 웨이와 마리아의 대화를 완성하십시오.

마리아 : 웨이 씨, 어제 제임스 씨 집에 갔지요? 제임스 씨 집은 멀어요?

웨이 : 1) 생각보다 학교에서 가깝던데요.

마리아 : 그래요? 제임스 씨 집은 어때요?

웨이 : 2)

마리아 : 제임스 씨가 지난번에 강아지 이야기를 했는데, 강아지도 봤어요?

웨이 : 네, 강아지가 3)

마리아 : 제임스 씨가 음식도 만들어 주었어요?

웨이 : 네, 떡볶이를 만들어 주었는데 4)

-네요

02 다음 상황에 맞게 표를 채우십시오.

상황	지금 알게 된 사실	어떻게 말할까요?
오늘 스미스 씨를 처음 만났어요.	한국말을 아주 잘 해요.	스미스 씨, 한국말을 아주 잘 하시네요.
오늘 오랜만에 서점에 왔어요.	책이 생각보다 비싸요.	
지금 영화를 보고 있어요.	생각보다 재미있어요.	
밖에 나왔어요.	비가 와요.	

과제 1 말하기

다음 중 여러분의 취미에 표시하고 [보기]와 같이 대화해 봅시다.

☐ 등산 ☐ 낚시 ☐ 만화 그리기 ☐ 악기 연주
☐ 운동 ☐ 여행 ☐ 음악 감상 ☐ 영화 감상
☐ 독서 ☐ 요리 ☐ 외국어 배우기 ☐ 기타 ....

[보기] 가 : 마리아 씨는 취미가 뭐예요?

나 : 저는 얼마 전에 요가를 시작해서 매일 하고 있어요.

가 : 와, 정말 열심히 **하시네요**. 요가를 해 보니까 어때요?

나 : 건강이 **좋아지던데요**. 한번 해 보세요.

요가 yoga

01 다음 글을 읽고 질문에 답하십시오.

　　제 취미는 영화 감상입니다. 저는 다양한 장르의 영화를 모두 좋아하지만 특히 공포 영화를 좋아합니다. 저는 친구들과 일주일에 한 번씩 영화를 보러 갑니다. 영화를 본 후에 우리들은 그 영화에 대해서 많은 이야기를 합니다. 그리고 다음에 볼 영화에 대해서도 계획을 세웁니다. 이번 주말에는 친구들과 새로 개봉한 영화인 '무서운 사람들'을 보러 가기로 했습니다. 이 영화는 제가 좋아하는 감독의 영화인 데다가 제가 좋아하는 배우가 나와서 매우 기대가 됩니다. 제 친구들은 바둑을 두거나 동전을 수집하는 등 여러 가지 취미 생활을 하지만 저는 영화 감상이 제일 좋습니다. 영화 감상은 제 생활에 기쁨과 힘을 주는 중요한 부분입니다.

1) 이 사람의 취미생활에 대해 맞는 것을 고르십시오. (　　　　)

❶ 이 사람은 무서운 영화를 싫어한다.

❷ 이 사람은 보통 혼자서 영화를 본다.

❸ 이 사람은 다양한 장르의 영화를 다 좋아한다.

❹ 영화를 보는 친구들은 한 달에 한 번씩 만난다.

2) 이 글의 내용과 같으면 ○ 다르면 ✕표시를 하십시오.

❶ 이 사람은 이번 주에도 영화를 볼 것이다. 　　　　　　　　　　　　　　(　　　　)

❷ 영화 감상은 이 사람의 생활에서 중요한 부분이다. 　　　　　　　　　(　　　　)

❸ 이 사람은 바둑을 두고 동전을 수집하는 취미도 가지고 있다. 　　　(　　　　)

3) 이 사람이 '무서운 사람들'이라는 영화를 기대하는 이유를 두 가지 쓰십시오.

❶ _____

❷ _____

02 여러분의 취미 생활에 대해서 쓰고 발표해 봅시다.

취미	
시작한 시기	
좋아하는 이유	
횟수	
같이 하는 사람	
좋은 점	

나의 취미생활

다양하다 to be diverse　　**장르** genre　　**공포** horror　　**개봉하다** to release

Dialogue

James	Miseon, what are your hobbies?
Miseon	Because I like travelling, I travel whenever I have time.
James	Really? Isn't it difficult to make time for it?
Miseon	It is difficult but if I am determined enough it is possible to make time. What about you, James?
James	I like collecting stamps. I have collected almost 5,000 different stamps of various countries.
Miseon	You really have collected a lot.

문법 설명

01 −던데요

It is used to explain an occasion which one saw or experienced in person in a retrospective way. '−던데' is used in conversation with close friends or people who are younger in age or lower in hierarchy. It is attached to the verb stems.

● 가 : 요가를 배워보니까 어때요?　　A : What is/ was it like to learn yoga?

　나 : 생각보다 어렵던데요.　　B : (As I recall,) it was more difficult than I thought.

● 가 : 학교 앞에 있는 식당에 가 봤어요?　　A : Have you been to the restaurant in front of our school?

　나 : 네. 음식도 맛있고, 값도 싸던데요.　　B : Yes. (As I recall,) the food was delicious and the price was reasonable.

- 가 : 그 학생은 1급이지요?

  나 : 네, 그런데 어려운 단어를 많이 알던데요.

- 가 : 어제 본 영화 어땠어요?
  나 : 배우가 연기를 아주 잘 하던데요.

A : That student is in Level 1, isn't he/she?

B : Yes, but he/she knew a lot of difficult vocabulary (as I recall).

A : How was the movie yesterday?
B : The acting skills of the actors were great (as I recall).

02 -네요

This expression is used when something new has been heard or seen at that moment. '-네' is used in conversation with close friends or people who are younger in age or lower in hierarchy. It is attached to the verb stem and if an action is already finished, '-었네요' is used.

- 일요일인데 도서관에 학생이 아주 많네요.
- 얇은 책인데 가격이 비싸네요.

- 마리아 씨, 사진을 잘 찍으시네요.
- 미선 씨, 요가를 처음 배우는데 아주 잘 하시네요.
- 수업이 벌써 끝났네요.

Even though it is Sunday, there are many students in the library.
The book is expensive even though it is thin.

Maria, you are good at taking pictures.
Miseon, you are good at yoga for someone who has just started.
Class is already over.

02 가끔 풍경화도 그리고요

학습 목표 ● 과제 취미 활동 설명하기 ● 문법 –는 편이다, –고요 ● 어휘 취미 활동 관련 어휘

두 사람은 무엇에 대해 이야기를 하고 있습니까?
여러분은 어떤 그림을 좋아하십니까?

🔊 CD1:03~04

마리아 그림이 참 좋네요. 언제부터 그림을 그리기 시작했어요?

웨이 얼마 안 됐어요. 그림을 배우고 싶어서 작년에 학원에 등록했어요.

마리아 이 그림은 완성하는 데 얼마나 걸렸어요?

웨이 두 달쯤 걸렸어요.

마리아 생각보다 오래 걸린 편이네요. 주로 인물화를 그리세요?

웨이 네, 가끔 풍경화도 그리고요.

학원
private institute

등록하다
to enroll

완성하다
to complete

인물화
portrait

풍경화
landscape

어휘

01 [보기]에서 알맞은 어휘를 골라 빈칸에 쓰십시오.

[보기]　　전시회　　　　연주회　　　　상영　　　　발표회

그림	화구	전시회	풍경화, 인물화, 정물화
음악	악기		고전 음악, 현대 음악
사진	사진기		인물 사진, 풍경 사진
무용	의상		발레, 고전 무용, 현대 무용
영화	촬영 도구		공포 영화, 코미디 영화, 공상과학 영화

02 빈칸에 알맞은 어휘를 쓰십시오.

❶_____에 초대합니다. 아름다운 풍경화를 보실 수 있습니다. 그림을 좋아하시는 분들은 꼭 와 보세요.

피아니스트 ○○○의 가을 ❷_____에 당신을 초대합니다. 꼭 오셔서 즐거운 시간을 보내시기 바랍니다.

연세대학교 3급 학생들의 연극 ❸_____이/가 있습니다.

일시 : ○○년 3월 2일
　　　 오후 2시
장소 : 대강당

문법 연습

–는/은/ㄴ 편이다

01 다음 표를 채우고 대화를 완성하십시오.

	질문	대답
1)	영화를 얼마나 자주 보세요?	일주일에 한 번
2)	가족들과 전화를 자주 하세요?	하루에 두 번
3)	외식을 자주 하는 편이세요?	두 달에 한 번
4)	술을 자주 드시는 편이세요?	
5)	책을 많이 읽으세요?	

1) 가 : 영화를 자주 보세요?

　　나 : 네, ___일주일에 한 번쯤___ 보니까 ___자주 보는 편이에요.___

2) 가 : 가족들과 전화를 자주 하세요?

　　나 : 네, 하루에 두 번쯤 하니까 _____

3) 가 : 외식을 자주 하는 편이세요?

　　나 : 아니요, 두 달에 한 번쯤 외식을 하니까 _____

4) 가 : 술을 자주 드시는 편이세요?

　　나 : _____, _____으니까/니까 _____

5) 가 : 책을 많이 읽으세요?

　　나 : _____, _____으니까/니까 _____

-고요

02 다음 그림을 보고 대화를 완성하십시오.

❶

가 : 연세 식당이 깨끗해요?

나 : 네, 깨끗해요. 값도 싸고요.

가 : 그럼, '신촌 식당'은 어때요?

나 :'신촌 식당'은 좀 지저분해요. 값도 비싸고요.

❷

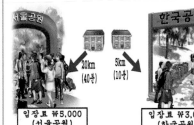

가 : 서울 공원 어때요?

나 : _____ . _____ .

가 : 그럼, 한국 공원은 어때요?

나 : _____ . _____ .

❸

가 : 어디가 더 싸요?

나 : _____ . _____ .

가 : 그럼, _____ 은/는 어때요?

나 : _____ . _____ .

❹

가 : 어느 하숙집이 좋아요?

나 : _____ . _____ .

가 : 그럼, _____ 은/는 어때요?

나 : _____ . _____ .

과제 1	말하기

[보기]와 같이 친구와 대화하고 다음 표의 빈칸을 채워 봅시다.

[보기] 가 : 리에 씨는 취미가 뭐예요?

나 : 저는 요리하기를 좋아해요. 영화 보는 것도 **좋아하고요.**

가 : 영화를 자주 보세요?

나 : 일주일에 한 번쯤 보니까 **자주 보는 편이에요.**

이름	취미가 뭐예요?		얼마나 자주 하나요?
리에	요리하기	영화 감상	영화 감상은 일주일에 한 번

과제 2	듣고 말하기 [CD1:05]

01 대화를 듣고 질문에 답하십시오.

1) 여자의 취미는 무엇입니까? (   )

❶ 그림 감상   ❷ 그림 그리기   ❸ 그림 수집   ❹ 그림 전시

2) 들은 내용과 같으면 ○ 다르면 ✕표시를 하십시오.

❶ 여자는 풍경화를 잘 그린다.   (   )

❷ 여자는 전시회에 가고 싶어한다.   (   )

❸ 여자는 남자와 같이 전시회에 갈 것이다.   (   )

❹ 그 전시회에 가면 유명한 화가들의 그림을 볼 수 있다.   (   )

02 여러분은 어떤 취미를 가지고 있습니까? 다음 표에 메모하고 [보기]와 같이 이야기해 봅시다.

종류	그림 감상	
방법	한 달에 한두 번 전시회 관람	
장점	그림을 보면서 아름다움을 느낀다. 다른 사람의 생각을 알 수 있다.	
비용	전시회 입장료 (입장료가 없는 전시회도 있음)	

[보기]

　저는 그림 보는 것을 좋아해서 그림 전시회에 많이 갑니다. 한 달에 한 번이나 두 번쯤 전시회에 가는데 마음에 드는 그림이 있는 전시회는 여러 번 보러 가기도 합니다. 저는 그림을 보면서 아름다움을 느낍니다. 또 그림을 보면 그 그림을 그린 사람의 생각도 알 수 있습니다. 입장료가 좀 비싼 전시회도 있지만 입장료가 없는 전시회도 많습니다. 여러분도 한번 가 보세요.

동서양 east and west　　**정물화** a still-life painting　　**입장료** an admission fee

Dialogue

Maria	It is a great picture. When did you start painting pictures?
Wei	Not long ago. I enrolled myself in a drawing class last year, because I wanted to learn how to draw.
Maria	How long did it take to complete this painting?
Wei	It took about 2 months.
Maria	It took longer than I thought. Do you usually draw portraits?
Wei	Yes. I sometimes draw landscapes, too.

문법
설명

01 –는/은/ㄴ 편이다

It is more used to express a tendency rather than making an assertive and clear statement of a fact. With an action verb, adverbs like '많이, 자주' etc. are used. After an action verb '–는 편이다' is followed. In the case of a descriptive verb, if the verb stem ends with a consonant '–은 편이다' is used and if the verb stem ends with a vowel '–ㄴ 편이다' is used.

- 가 : 마리아 씨는 반 친구들한테 인기가 있나요?

  나 : 네, 성격이 밝아서 친구들한테 인기가 많은 편이에요.

  A : Is Maria popular among her class-mates?

  B : Yes, she tends to be popular among her friends because of her bright character.

- 가 : 그 시장은 다른 시장보다 물건 값이 싼 편이에요.

  A : That market tends to be cheaper than other markets.

나 : 아, 그래서 언제나 사람이   B : That's the reason why it is always
　　많군요.   crowded.

• 가 : 사람들이 이 약을 많이 찾아요?   A : Do many people buy this medicine?
　나 : 네, 많이들 찾는 편이에요.   B : Yes, a lot of people tend to buy it.

• 가 : 외식을 자주 하세요?   A : Do you eat out often?
　나 : 한 달에 두세 번쯤 하니까   B : We eat out two to three times per month, so
　　자주 하는 편이에요.   you can call it relatively often.

02 -고요

It is used to add more information either to the statement of your conversation partner or to add more information to your own statement. It is attached to the verb stem.

• 가 : 지금 살고 있는 하숙집은   A : How is the boarding house where you
　　어때요? 마음에 들어요?   are living right now? Do you like it?
　나 : 네, 좋아요. 학교도 가깝고요.   B : Yes, it's nice. And it's also close to school.

• 가 : 그 식당 음식이 맛있지요?   A : The food of that restaurant is delicious, isn't it?
　나 : 네, 값도 싸고요.   B : Yes, it is. And the price is also reasonable.

• 가 : 밖에 비가 많이 와요?   A : Is it raining a lot outside?
　나 : 네, 바람도 불고요.   B : Yes, and it is also windy.

• 가 : 주말에는 뭘 하세요?   A : What do you do on weekends?
　나 : 친구들하고 영화를 봐요.   B : I go to see movies with my friends. And I
　　쇼핑도 하고요.   also go shopping.

03 어떤 동아리에 들 거야?

학습 목표 ● 과제 취미 동아리 소개하기 ● 문법 −는데도, −기만 하다 ● 어휘 동아리 관련 어휘

두 사람은 무슨 이야기를 하는 것 같습니까?
여러분은 어떤 동아리에 들었습니까?

CD1:06~07

마리아 제임스, 어떤 동아리에 들 거야?

제임스 아직 못 정했어. 어떤 동아리가 좋을까?

마리아 넌 한국 문화에 관심이 있으니까 탈춤반이나 전통 음악반이 어때?

제임스 글쎄, 지난 번에 소개하는 것을 들었는데도 어떤 동아리에 들어가야
할지 결정을 못하겠어.

마리아 그럼 학교 홈페이지에 들어가서 동아리 소개를 한번 찾아 봐.
사진하고 동영상도 있어.

제임스 아, 맞다. 홈페이지에 들어가기만 하면 다 나오는데 괜히 고민했네.

들다
to join

관심
interest

동영상
video

괜히
no reason

고민하다
to worry

01 다음은 학교 동아리입니다. 그림에 알맞은 동아리를 [보기]에서 골라 쓰십시오.

[보기]　탈춤 동아리　　　사진 동아리　　　국악 동아리　　　봉사 동아리
　　　영화 동아리　　　등산 동아리　　　태권도 동아리　　　합창 동아리

국악 동아리

02 이 사람은 어떤 동아리에 들면 좋겠습니까?

1) 제 취미생활이 다른 사람에게 도움이 됐으면 좋겠습니다.　　　(봉사 동아리)
2) 저는 건강에 관심이 많아요.　　　　　　　　　　　　　　　(　　　　　　)
3) 저는 한국 문화를 배우고 싶어요.　　　　　　　　　　　　(　　　　　　)
4) 저는 자연을 가까이하는 것을 좋아해요.　　　　　　　　　(　　　　　　)
5) 음악과 관계있는 활동을 하고 싶어요.　　　　　　　　　　(　　　　　　)

문법 연습

–는데도 /은데도/ㄴ데도

다음 그림을 보고 대화를 완성하십시오.

❶

미선 : 리에 씨, 감기는 좀 어때요? 감기는 푹 쉬면 나으니까 좀 쉬세요.

리에 : <u>푹 쉬었는데도</u> 아직 낫지 않았어요.

❷

미선   : 마리아 씨, 요즘 피곤해 보이는데 밤에 잠을 잘 못 자요?

마리아 : 아니요, _____ 피곤해요. 요즘 매일 테니스를 쳐서 그런 것 같아요.

❸

마리아 : 어제 웨이하고 농구 했지? 웨이는 키가 작아서 농구는 잘 못할 것 같은데 어때?

제임스 : 아니야. 웨이는 _____.

❹

정희 : 웨이 씨, 시험 잘 봤어요?

웨이 : 아니요, _____.

–기만 하다/만 하다

02

다음은 리에가 친구에게 보낸 이메일입니다. [보기]의 동사와 '–기만 하다'를 이용해서 빈칸을 채우십시오.

[보기]　　　내다　　　　　자다　　　　　먹다　　　　　받다　　　　　공부를 하다

🈂 Communication Service @YONSEI　　　　　🔹공지사항 🔹Q&A 🔹도움말 🔹로그아웃

📧 **메일쓰기**

[보내기] [임시저장] [다시쓰기] [미리보기] 🔊음성메일　[주소록]

보내는 사람	리에	
받는 사람 [참조추가 ▽]		자주 사용하는 메일주소 ▽ / 최근 보낸 메일주소 ▽
제 목		
편집모드	⦿HTML ○TEXT　　개별발송 ☐ 메시지 인코딩 한국어(EUC-KR) ▽	

[🗋 🗎 | 스타일 ▾ 포맷 ▾ 폰트 ▾ 글자크기 ▾ | ↶ ↷ 🔍 ✂ | ✂ 📋 📋📋 📑 ⊟ ☺ 🌐 B I U ABC x₂ x² | 🅰▾ 🅰▾ | ⋮≡ ⋮≡ ⋮≡ ⋮≡ ⋮≡ ⋮≡]

미선에게

미선아, 안녕? 우리가 만나지 못한 지 한 달쯤 됐지? 넌 어떻게 지내고 있어? 난 한국에 처음 왔을 때는 너무 힘들어서 수업이 끝나고 집에 돌아오면 숙제 도 못하고　**자기만 했는데**　~~는데/은데/ㄴ데~~ 지금은 익숙해져서 괜찮아. 한 국 음식에도 익숙해져서 좋은데, 운동을 안 하고 ＿＿＿＿＿＿＿＿＿ 으니까/니 까 살이 너무 많이 쪄서 걱정이야. 지금까지는 빨리 한국말을 잘 하고 싶어 서 ＿＿＿＿＿＿＿＿＿ 었는데/았는데/였는데, 이제 운동도 좀 하고 싶어. 그래서 너한테 부탁하고 싶은 것이 있어. 내가 등산 동아리에 들려고 하는데, 가입 신 청서를 ＿＿＿＿＿＿＿＿＿ 으면/면 된다고 들었어. 그런데 신청서를 쓰는 것이 생 각보다 복잡해서 못 내고 있어. 만나서 신청서 쓰는 것 좀 도와줄 수 있어? 항 상 도움을 ＿＿＿＿＿＿＿＿＿ 어서/아서/여서 어떻게 하지? 다음에 밥 살게. 그럼 언제 시간이 있는지 꼭 연락해 줘.

– 리에가

파일 첨부	이름	크기	[파일추가] [파일삭제] [파일보기]
			총용량: [0 bytes] (최대 20M)
	◀	▶	🈂 Simple 업로드
발송 설정	중요도 보통 ▽ 보낸메일저장 ☑ 서명추가 ☐ 내명함첨부 ☐ 수신확인 ☑		
예약 설정	☐ ▽ 년 ▽ 월 ▽ 일 ▽ 시 ▽ 분		
회신 주소			

[보내기] [임시저장] [다시쓰기]

과제 1　쓰기

다음 그림을 보고 마리아의 일기를 써 봅시다.

오늘 웨이 씨와 같이 테니스를 쳤다. 웨이 씨는 테니스를 배운 지 두 달밖에 안 **되었는데도** 테니스를 정말 잘 친다.

지다 to lose　**이기다** to win

과제 2 듣고 쓰기 [CD1:08]

01 대화를 듣고 질문에 답하십시오.

1) 남자가 가입한 동아리에 대해 맞는 것을 고르십시오. (   )

❶ 인터넷으로 신청할 수 있다.

❷ 자동차와 관계있는 동아리이다.

❸ 이 동아리는 들어가기가 어렵다.

❹ 이 동아리에는 회원이 별로 없다.

2) 여자에 대해 맞는 것을 고르십시오. (   )

❶ 여자는 유명한 찻집을 많이 알고 있다.

❷ 여자는 남자가 든 동아리에 들 것 같다.

❸ 여자는 남자가 든 동아리에 관심이 없다.

❹ 여자는 그 동아리의 회원들에게 관심이 없다.

3) 들은 내용을 다음 표에 정리하십시오.

동아리 이름	
하는 일	• •

02 여러분이 알고 있는 동아리나 동호회를 소개해 봅시다.

• 동아리(동호회) 이름 :

• 회비 :

• 하는 일 :

• 기타:

Dialogue

Maria   James, what kind of club are you going to join?

James   I haven't decided yet.

Maria   Since you are interested in Korean culture, how about a mask dancing class or a traditional music class?

James   Well, even though I've heard about it before, I still cannot decide which club I should join.

Maria   Then, you should visit the school website to search for it. There are photos and videos, too.

James   Ah! that's right. I can look up the information by just visiting the website. I've been worrying about it for no reason.

문법 설명

01 –는데도/은데도/ㄴ데도

This expression is used when the result at the end of the sentence is not expected from the situation in the beginning. It is attached to verb stems. After an action verb '–는데도' is followed. In the case of a descriptive verb, if the verb stem ends with consonant '–은데도' is used and if the verb stem ends with a vowel '–ㄴ데도' is used. In the case where '–었–' is necessary, '–었는데도' is used.

- 매일 연습하는데도 실력이 좋아 지지 않아요.

  Even though I practice every day, my skills are not getting better.

- 할 일이 많은데도 피곤해서 그냥 잤어요.

  Even though I had so many things to do, I just slept.

- 그 분은 일본 사람인데도 한국말을 한국 사람처럼 잘 하던데요.
- 계속 약을 먹었는데도 감기가 낫지 않아요.

Even though he/she was Japanese, he/she spoke Korean like a Korean person.
Even though I kept taking medicine, my cold has not gotten better.

02 −기만 하다/만 하다

This expression is used when a person is doing only one action and nothing else. It is attached to an action verb stem. In the case of 'N을/를 하다' verb, '−만' should be attached to the noun.

- 우리 아이는 집에서 공부만 해요.
- 그 사람은 행동은 하지 않고 말만 해요.
- 여기 있는 신청서를 쓰기만 하면 상담을 받을 수 있어요.
- 요즘 아이들이 공부는 안 하고 놀기만 해서 걱정이에요.

My child only studies at home.
That person only talks but does not put it into action.
If you only fill in this form, you can receive advice.
I am worried that children these days do not study and only hang around.

04 등산을 제일 많이 한대요

학습 목표 ● 과제 여가 생활 조사하기 ● 문법 −자마자, −는대요 ● 어휘 여가 활동 관련 어휘

미선 씨는 어디에 가려고 합니까?
여러분은 시간이 있을 때 무엇을 합니까?

🔊 CD1:09~10

조사
research

결과
result

-에 따르면
according to

험하다
to be rugged

관광
sightseeing

리에　한국 사람들은 시간이 있을 때 보통 뭘 해요?

미선　조사 결과에 따르면 등산을 제일 많이 한대요.

리에　그렇군요. 한국에는 산이 많아서 등산하기가 좋을 거예요.

미선　네, 그리고 산이 별로 험하지 않아서 아이들도 쉽게 등산을 할 수
　　　있어요.

리에　미선 씨도 이번 연휴에 등산 가실 거예요?

미선　아니요. 저는 수업이 끝나자마자 제주도에 갈 거예요. 친구들과
　　　제주도 관광을 하기로 했어요.

어휘

01 [보기]에서 알맞은 어휘를 골라 빈칸에 쓰십시오.

[보기] 감상　　　　촬영　　　　관람　　　　오락　　　　여행

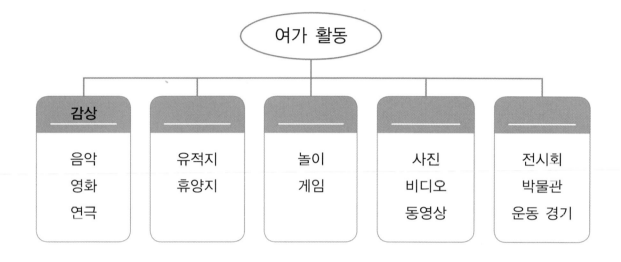

여가 활동

감상	＿＿＿	＿＿＿	＿＿＿	＿＿＿
음악 영화 연극	유적지 휴양지	놀이 게임	사진 비디오 동영상	전시회 박물관 운동 경기

02 관계있는 어휘를 쓰십시오.

1) 경주, 로마, 하와이　　　　　　　　　　　　　　(　여행　)
2) 로미오와 줄리엣, 피아노 연주회, 스타워즈　　　(　　　)
3) 사진 전시회, 김치 박물관, 축구 경기　　　　　(　　　)
4) 노래방, 조각 그림 맞추기, 컴퓨터 게임　　　　(　　　)
5) 졸업 사진, 결혼식 비디오　　　　　　　　　　(　　　)

문법 연습

-자마자

01 관계있는 것을 연결해서 문장을 만드십시오.

1) 밖으로 나오다 •   • 울기 시작했어요.

2) 아이가 의사 선생님을 보다 •   • 커피부터 마셔요.

3) 아침에 일어나다 •   • 다 썼어요.

4) 월급을 받다 •   • 비가 오기 시작했어요.

1) 밖으로 나오자마자 비가 오기 시작했어요.

2)

3)

4)

-는대요/ㄴ대요/대요/이래요
-내요, -으래요/래요, -재요

02 다음은 제임스와 마리아의 대화입니다. 두 사람의 대화를 읽고 제임스와 미선의 대화를
완성하십시오.

제임스 : 마리아, 내일 바빠?

마리아 : 아니. 1) <u>내일은 바쁘지 않아.</u>

제임스 : 내가 보고 싶은 한국 영화가 있는데 같이 볼래?

마리아 : 잘 됐다. 나도 2) <u>한국 영화를 좋아해.</u>

제임스 : 그럼 2시에 신촌역에서 만날까?

마리아 : 신촌역은 복잡하니까 3) <u>극장 앞에서 만나자.</u>

제임스 : 좋아.

마리아 : 표는 4) <u>사지 마</u>. 내가 예매할게.

　　　　참, 미선 씨도 같이 보자고 할까?

제임스 : 그럴까? 그럼 내가 전화해서 물어 볼게.

제임스 : 미선 씨, 내일 같이 영화 볼래요? 마리아도 같이요.

미선　 : 네, 좋아요. 마리아 씨도 내일 괜찮대요?

제임스 : 네, 1) <u>내일은 바쁘지 않대요</u> . 한국 영화를 보려고 하는데 어때요?

미선　　 : 저는 한국 영화를 좋아하는데, 마리아 씨도 한국 영화를 좋아할까요?

제임스 : 네, 마리아도 2) _____ .

　　　　내일 2시에 신촌 극장 앞에서 만나려고 하는데 괜찮지요?

미선　　 : 신촌 극장이요? 신촌역에서 만나는 게 좋지 않을까요?

제임스 : 마리아가 신촌역은 복잡하니까 3) _____ .

미선　　 : 네, 알겠어요. 그럼 표는 제가 예매할까요?

제임스 : 표는 마리아가 예매하겠다고 4) _____ .

미선　　 : 네, 그럼 내일 봐요.

과제 1 　말하기

다음은 한국 사람들의 취미를 조사한 표입니다. 표를 보고 [보기]와 같이 이야기해 봅시다.

한국인이 즐기는 취미		
순위	취미	비고
1위	등산 (9.0%)	40대 이상 남성 취미 1위
2위	독서 (8.3%)	30~40대 여성 취미 1위
3위	음악 감상 (7.8%)	20대 여성 취미 1위
4위	컴퓨터 게임 (5.4%)	10~20대 남성 취미 1위
5위	운동 · 헬스 (5.2%)	20~30대 남성 취미 2위
6위	인터넷 · 컴퓨터 (4.5%)	10대 여성 취미 1위
7위	낚시 (4.1%)	30대 남성 취미 1위

　한국인이 가장 즐기는 취미는 **등산이래요.** 많은 사람들이 좋아하지만 특히 40대 이상 남성이 가장 **좋아한대요.** 그 다음은

과제 2 　읽고 말하기

01　다음을 읽고 질문에 답하십시오.

　　여러분은 한가한 시간에 집에 있을 때 무엇을 하십니까? 보통 텔레비전을 보면서 쉬시지요? 많은 사람들이 이렇게 여가를 보낸다고 합니다. 좀 더 재미있고 도움이 되는 여가 활동은 없을까요? 다음은 제가 조사한, 집에서 할 수 있는 여가 활동입니다.

　　첫 번째로 요리가 있습니다. 먹고 싶은 요리를 생각하고 재료를 준비해서 요리하는 것을 즐기는 것입니다. 요리의 맛뿐만 아니라 과정을 즐기는 것이지요.

이상 above

두 번째로 무엇인가를 만드는 활동이 있습니다. 나무 의자나 커튼 등 여러 가지 물건을 직접 만드는 것입니다. 만드는 것도 재미있지만 직접 만든 물건을 사용하면 더 좋지요.

세 번째로 운동이 있습니다. 집에 운동 기구를 놓으면 편하게 운동을 할 수 있습니다. 마당이 있는 단독 주택이면 운동하기가 더 좋을 것 같습니다.

네 번째로 화초 기르기가 있습니다. 좋아하는 화초가 자라는 것을 보는 기쁨도 느낄 수 있습니다.

다섯 번째로 애완동물을 기르면서 여가 시간을 보내는 것도 나쁘지 않겠지요? 특히 아이가 하나뿐인 집에서는 애완동물이 아이의 친구가 될 수 있을 것입니다.

1) 무엇에 대한 소개입니까?

2) 조사 결과와 같은 내용을 고르십시오. (   )

❶ 요리는 맛과 함께 만드는 과정을 즐길 수도 있다.

❷ 단독 주택이 아니면 집에서 운동을 하기가 어렵다.

❸ 텔레비전을 보면서 쉬는 것은 여가 활동이 아니다.

❹ 애완동물과 화초를 기르는 활동은 어른들이 많이 하는 활동이다.

3) 여러분은 위의 활동 중에서 어느 것을 하십니까? 그 이유는 무엇입니까?

02 가족이 함께 할 수 있는 여가 활동으로는 무엇이 있을까요? 그 활동을 하면 무엇이 좋을 것 같습니까? 표를 채우고 이야기해 봅시다.

활동의 종류	좋은 점
가족이 함께 찜질방에 간다.	가족이 모두 모여서 이야기할 수 있다.

즐기다 to enjoy **과정** a process **기구** equiprment **단독 주택** a residence **화초** flowering plants

Dialogue

Rie	What do Korean people normally do when they have time?
Miseon	According to a research result, they go hiking the most.
Rie	Really? I guess it is good to go hiking, because there are so many mountains in Korea.
Miseon	Yes, and the mountains are not very rugged so even children can go hiking easily.
Rie	Are you also going to go hiking this holiday, Miseon?
Miseon	No, I am going to go to Jeju Island right after classes are finished. I've decided to go sightseeing with my friends in Jeju.

문법
설명

01 -자마자

This expression is used when something happens right after another. It is attached to an action verb stem.

- 6시가 되자마자 모두들 퇴근했다.
People left the office as soon as it turned 6 o' clock.

- 그 친구의 목소리를 듣자마자 울기 시작했다.
I cried as soon as I heard my friend's voice.

- 우리 아이는 집에 들어오자마자 손부터 씻는다.
My child washes his/her hands as soon as he/she comes home.

- 마리아 씨는 버스에서 내리자마자 뛰기 시작했다.
Maria started to run as soon as she got off the bus.

02 −는대요/ㄴ대요/대요/이래요, −냬요, −으래요/래요, −재요

This expression is used when one conveys a statement from a third party. (Refer to Level 2 Chapter 7) It is the abbreviation form of '−는다고 해요, −냐고 해요, −으라고 해요, −자고 해요'.

- 그 분은 프랑스 사람이래요.

  I heard that he is French.

- 선생님은 성실한 학생이 좋대요.

  I heard that the teacher likes sincere students.

- 웨이 씨는 날마다 열심히 공부한대요.

  I heard Wei studies very hard everyday.

- 학생들이 모두 시험을 잘 봤대요.

  I heard that all the students did well in the exams.

- 제임스 씨는 6급까지 공부할 거래요.

  I heard that James will study up to Level 6.

- 우리에게 뭘 하고 있냬요.

  They asked us what we are doing.

- 어머니가 늦게 다니지 말래요.

  My mother told me not to be out late.

- 친구가 같이 영화를 보재요.

  My friend suggested me to see a movie together.

05 정리해 봅시다

01 반 친구들의 취미, 가입한 동아리나 동호회를 조사해 다음 표에 쓰십시오.

이름	취미	동아리/동호회

02 다음 표현을 사용하여 대화를 완성해 보십시오.

−던데요	−네요	−는 편이다	−고요
−는데도	−기만 하다	−자마자	−는대요

제임스 : 마리아 씨가 우리 반 친구를 모두 초대했어요.
　　　　마리아 씨 집으로 7시까지 ＿＿＿＿＿＿＿＿＿.
　　　　　　　　　　　　　　　　　(오다)

미선　 : 저녁 준비를 마리아 씨 혼자 하려면 힘들지 않을까요?

제임스 : 마리아 씨가 자기 취미가 요리니까 그냥 와서 ＿＿＿＿＿＿으래요/래요.
　　　　　　　　　　　　　　　　　　　　　　　　(먹다)

미선　 : 그래도 될까요? 전에 혼자 파티 준비를 해 보니까 많이 ＿＿＿＿＿＿.
　　　　　　　　　　　　　　　　　　　　　　　　　　(힘들다)

　　　　돈도 많이 ＿＿＿＿＿＿.
　　　　　　　　　　(들다)

제임스 : 다른 친구들이 ＿＿＿＿＿＿＿＿＿ 마리아 씨가 괜찮대요.
　　　　　　　　　　(도와 주겠다고 하다)

미선　 : 그래요? 제가 마리아 씨한테 다시 전화해 볼게요.

03 친구들에게 여러분의 취미를 추천해 보십시오.
여러분의 취미 활동의 좋은 점과 우리 반 친구 중에 누가 이 취미 활동을 하면 좋을지 이야기해 봅시다.

한국인의 여가 활동 [CD1:11]

여가 활동이란 일을 하고 남는 시간을 활용하여 하는 활동을 말합니다. 또한, 여가 시간이란 직장 생활과 공부로부터 벗어난 자유로운 시간을 말합니다. 따라서 여가 활동은 꼭 해야 하는 것이 아니라 스스로 즐기기 위해서 하는 활동입니다. 과거 우리 조상들은 씨름, 널뛰기, 줄다리기, 팽이치기, 썰매타기, 탈춤, 서예 등의 여가 활동을 즐겼습니다. 현대에는 여가 활동이 더 다양해졌습니다. 컴퓨터 게임과 같은 오락 활동에서부터 영화 감상, 다양한 스포츠 활동, 어려운 사람들을 도와주는 봉사 활동, 그리고 특별한 동식물을 키우는 취미 활동에 이르기까지 그 종류는 수없이 많습니다. 현대인들은 자신에게 맞는 적절한 여가 활동을 통해 일상생활에서 받는 스트레스를 풀고 건강하게 살려고 노력합니다.

씨름	널뛰기	서예
스킨스쿠버	컴퓨터게임	등산

1. 여러분의 나라에서 하는 여가 활동에 대해서 이야기해 봅시다.

2. 한국인이 즐겨하는 여가 활동 중에서 흥미있는 것이 있으면 이야기해 봅시다.

활용하다 to make us of the time **벗어나다** to get out of something **스스로** by oneself

제2과 일상생활

• 문화
　이사 떡

01 앞집에 이사 온 리에라고 합니다

학습 목표 ● 과제 인사하기 ● 문법 -으려던 참이다, -을 텐데 ● 어휘 인사 관련 어휘

리에 씨는 지금 무엇을 하고 있습니까?
여러분은 한국에서 이사한 적이 있습니까?

이사를 오다
to move in

**그렇지
않아도**
to be about to
do something
(even if it was
not like that)

궁금하다
to be curious

인사를 가다
to go and
greet

이사 떡
rice cake as
a moving-in
present

맛을 보다
to taste

🔊 CD1:12~13

리에　안녕하세요? 저는 앞집에 이사 온 리에라고 합니다. 잘 부탁드립니다.

이웃　그렇지 않아도 어떤 분인지 궁금해서 인사를 가려던 참이었어요.
　　　그런데 외국분이신가 봐요.

리에　네, 일본에서 왔어요.

이웃　한국말을 참 잘 하시네요.

리에　감사합니다. 이거 이사 떡인데 맛 좀 보세요.

이웃　고맙습니다. 잘 먹겠습니다. 이사 때문에 바쁘실 텐데 언제 이런 걸
　　　준비하셨어요?

어휘

01 [보기]에서 알맞은 어휘를 골라 빈칸에 한 번씩만 쓰십시오.

[보기] 인사를 가다   인사를 받다   인사를 드리다
        인사를 시키다   인사를 나누다

인사를 하다

인사를 드리다,

02 빈칸에 알맞은 어휘를 쓰십시오.

1) 제임스 씨가 나를 보고 ___인사를 했다___ 었다/았다/였다.

2) 설날에는 친척 어른들 댁으로 _____ 는다/ㄴ다.

3) 내일이 스승의 날이어서 선생님께 _____ 으러/러 가려고 한다.

4) 오랜만에 만난 두 사람은 서로 악수를 하면서 반갑게 _____ 었다/았다/였다.

5) 과장님은 내가 회사에 처음 들어갔을 때 회사 사람들에게 _____ 었다/았다
   /였다.

문법 연습

01

-으려던/려던 참이다

다음 그림을 보고 대화를 완성하십시오.

1) 알렉스 : 저는 지금 점심 먹으러 갈 거예요. 같이 갈 사람 없어요?

마리아 : <u>저도 점심을 먹으려던 참이었어요. 같이 가요.</u>

2) 마이클 : 영화를 보려고 하는데, 같이 갈래요?

　　　 : 그래요? _____

3) 다나까 : 저, 도서관에 가려고 하는데, 같이 갈까요?

　　　 : 마침 잘 됐네요. _____

4) 사오리 : 너무 졸려요. 커피 좀 마셔야겠어요.

　　　 : _____

-을/ㄹ 텐데

02 다음 그림을 보고 대화를 완성하십시오.

❶

미선 씨가
바쁠 것 같은데...

미선　　: 여보세요? 제임스 씨? 지금 어디예요?

제임스 : 지금 지하철을 타고 가고 있어요.

미선　　: 아, 그래요? 저는 지금 약속 장소에서
　　　　　기다리고 있어요.

제임스 : <u>　　바쁠　　</u> 을/~~ㄹ~~ 텐데 늦어서 미안해요.
　　　　　금방 갈게요.

❷

미선 씨가 피곤해
보이는데 쉬지도 않네.

리에 : 미선 씨, 어제도 안 자고 일했어요?

미선 : 네, 일이 너무 많아서요.

리에 : <u>　　　　　　　　　　</u> 을/ㄹ 텐데 좀 쉬었다가 하세요.

❸

혼자서 하기
힘들 것 같은데...

웨이 : 정희 씨, 오늘 일이 많은가 봐요.

정희 : 네, 오늘까지 해야 하는데 걱정이에요.

웨이 : <u>　　　　　　　　　　</u> 을/ㄹ 텐데 좀 도와 드릴까요?

정희 : 정말 고마워요. 그럼 이것 좀 해 주시겠어요?

❹

마리아 씨가 점심을 안
먹었으면 배 고프겠다.

미선　　: 마리아 씨, 점심 먹었어요?

마리아 : 아니요, 아직이요.

미선　　: <u>　　　　　　　　　　</u> 을/ㄹ 텐데 이 샌드위치
　　　　　좀 드실래요?

마리아 : 아, 괜찮아요. 이따가 친구를 만나서 먹을
　　　　　거예요.

과제 1	말하기

다음과 같은 상황에서는 어떻게 인사하면 좋을까요? 표를 채우고 [보기]와 같이 친구와 대화해 봅시다.

상황	인사말
초대한 손님이 집에 왔을 때 손님에게	바쁘실 텐데 이렇게 와 주셔서 감사합니다.
초대받은 사람이 초대한 사람에게	
도움을 받은 사람이 도와 준 사람에게	
나를 축하해 주는 친구에게	

[보기] 가 : 안녕하세요?

　　　　나 : 어서 들어오세요. **바쁘실 텐데** 이렇게 와 주셔서 감사합니다.

　　　　　　 오시는데 힘들진 않으셨어요?

　　　　가 : 위치를 자세히 알려 주셔서 금방 찾을 수 있었어요.

　　　　　　 이거 받으세요. 과일을 좀 사 왔어요.

　　　　나 : 감사합니다. 그냥 오셔도 되는데... 뭐 이런 걸 다 사오셨어요.

과제 2	읽고 말하기

01 다음 글을 읽고 질문에 답하십시오.

　　여러분이 다른 사람을 만났을 때 제일 먼저 하는 일은 무엇입니까? 아마 인사 일 것입니다. 우리는 다른 사람과 만나고 헤어질 때, 다른 사람의 도움을 받았을 때, 축하할 일이 있거나 위로할 일이 있을 때 인사를 합니다.

　　이런 인사는 왜 하는 것일까요? 인사를 하면서 우리는 우리의 마음을 상대방에게 알릴 수 있습니다. 상대방을 만났을 때의 반가움, 헤어질 때의 섭섭함, 상대방이 잘 지내기를 바라는 마음, 상대방에게 좋은 일이 생겼을 때 축하하는 마음, 상대방에게 슬픈 일이 생겼을 때 슬퍼하는 마음 등을 보여주는 것이 바로 인사입니다.

하지만 잘못된 인사는 상대방에게 실례가 될 수도 있습니다. 예를 들어 아랫사람이 윗사람에게 먼저 악수를 청하는 것이나, 윗사람에게 '수고하세요'라고 말하는 것도 실례가 됩니다. 계단 위에서 윗사람에게 인사를 하거나 뛰어가면서 인사를 하는 것, 상대의 눈을 보지 않거나 무표정하게 인사를 하는 것도 좋지 않습니다. 또 좋은 마음으로 인사를 해도 상대방의 상황을 고려하지 않으면 상대방의 기분이 나빠질 수도 있으므로 조심해야 합니다.

1) 이 글에서 이야기한 것을 모두 고르십시오. (   )

❶ 인사의 종류   ❷ 좋은 인사법

❸ 인사의 중요성   ❹ 인사할 때의 주의점

2) 인사를 하는 이유는 무엇입니까? 쓰십시오.

3) 여러분은 다음과 같은 상황에서 어떻게 인사합니까? 다음 표에 쓰십시오.

상황	인사말
어렸을 때 친구를 오랜만에 만났을 때	
같이 공부하던 친구가 고향으로 돌아갈 때	
친구가 원하던 직장에 취직했을 때	
친구의 할아버지가 돌아가셨을 때	

02 인사를 할 때 주의해야 할 점에는 어떤 것이 있는지 생각해 보고, 좋은 인사법에 대해서 [보기]와 같이 이야기해 봅시다.

[보기]

저는 무엇보다도 밝은 표정으로 인사하는 것이 중요하다고 생각해요. 인사를 할 때 표정이 좋지 않으면 인사를 받는 사람의 기분이 나쁠 거예요. 그래서 저는 저한테 안 좋은 일이 있어도 다른 사람에게 인사를 할 때는 웃으면서 인사하려고 노력해요.

위로하다 to console   **청하다** to ask   **무표정하다** to be expressionless   **고려하다** to consider

Dialogue

Rie   Hello! I am Rie who has just moved in the house across the street. Nice to meet you.

Neighbour   I was just about to drop by your house to say hello, because I was curious who moved in. It seems like you are a foreigner.

Rie   Yes, I am from Japan.

Neighbour   You speak Korean well.

Rie   Thank you. Please try this rice cake which I brought for you as a moving-in present.

Neighbour   Thank you. I am going to enjoy it. You must have been busy moving. How did you prepare all this?

문법 설명

01 –으려던/려던 참이다

This expression is used when one has considered to do one action then another action happens which overlaps with the originally planned action. It is attached to action verb stems. When the verb stem ends with a consonant '–으려던 참이다' is used and when the verb stem ends with a vowel '–려던 참이다' is used.

- 가 : 저는 점심 먹으러 갈 거예요. 같이 갈까요?

  A : I will go for lunch. Do you want to come with me?

  나 : 잘 됐네요. 저도 점심 먹으려던 참이었어요. 같이 가요.

  B : That's good. I was also about to have lunch. Let's go together.

가 : 좀 추운데 창문 좀 닫아도
    될까요?

A : It's cold here, do you mind if I close
the window?

나 : 네, 저도 좀 추워서 닫으려던
    참이었어요.

B : No, I don't mind. I am cold too, so I was
    also about to close the window.

가 : 언제 나갈 거예요?

A : When are you going to leave?

나 : 지금 막 나가려던 참이었어요.

B : I am about to leave now.

가 : 여보세요? 저 미선인데요.

A : Hello? This is Miseon.

나 : 미선 씨, 그렇지 않아도 전화하
    려던 참이었어요.

B : Miseon, I was also about to call you.

02 -을/ㄹ 텐데

This expression is used to give a suggestion or to pose a question while speculating about a situation which cannot be observed at that moment or will happen in the future. It is attached to verb stems. When a verb stem ends with a consonant, '-을 텐데' is used and when it ends with a vowel '-ㄹ 텐데' is used.

회사 그만두시면 심심하실 텐데
우리 집에 한번 들러 주세요.

When you quit your job, you might get
bored. So, please visit us sometime.

시부모님도 우리와 사시기 불편하실
텐데 함께 살아도 괜찮을까요?

It might be uncomfortable for our parents-
in-law to live with us. Do you still think we
should live with them?

방이 아마 제일 궁금하실 텐데, 들어
와서 보세요.

You must be curious about the room, so
come and have a look.

이제 곧 연극이 시작될 텐데 화장실
에 갔다 올 시간이 될까?

The play is about to start. Do you think
there is time to go to the restroom?

똑똑한 학생들도 많을 텐데 네가 꼭
그 일을 해야 하니?

There must be many other smart students.
Is it still necessary that you have to do
that?

02 짧게 잘라 주세요

학습 목표 ● 과제 편의 시설 이용하기 ● 문법 −거든요, −고말고요 ● 어휘 편의 시설 이용 관련 어휘

리에는 머리를 어떻게 하고 싶어합니까?
여러분은 한국에서 미용실에 가 본 적이 있습니까?

CD1:14~15

앞머리
fringe

찌르다
to prick

염색
to dye

짙다
to be dark

갈색
to be brown

미용사	어떻게 해 드릴까요?
리에	짧게 잘라 주세요. 앞머리가 자꾸 눈을 찌르거든요. 염색도 해 주시고요.
미용사	염색은 어떤 색으로 할까요? 요즘은 밝은 색이 유행인데요.
리에	저는 항상 짙은 갈색으로 염색했는데 밝은 색도 어울릴까요?
미용사	그럼요, 어울리고말고요.
리에	그럼 밝은 색으로 해 주세요.

어휘

01 [보기]에서 알맞은 어휘를 골라 적당한 곳에 쓰십시오.

[보기]   염색하다   드라이클리닝하다   다림질을 하다
        머리를 다듬다   굽을 갈다   파마를 하다

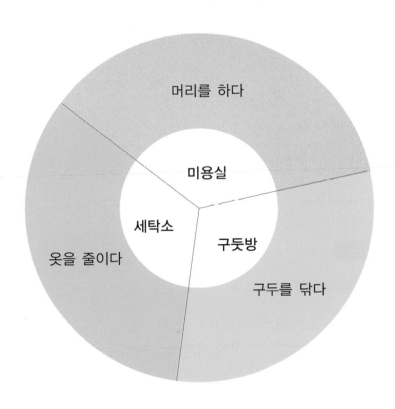

머리를 하다

미용실

세탁소

구둣방

옷을 줄이다

구두를 닦다

02 [보기]에서 알맞은 어휘를 골라 빈칸에 쓰십시오.

[보기]   자르다   펴다   말리다   미용실   미용사   드라이

미선 씨는 오늘 친구와 같이 1) 미용실에 갔다. 머리 색깔과 모양을 바꾸고 싶어서였다. 미선 씨는 긴 머리를 짧게 2)＿＿＿＿＿＿고 염색도 했다. 미선 씨 친구는 원래 곱슬머리여서 머리를 3)＿＿＿＿＿＿는/ㄴ 스트레이트 파마를 했다. 마지막으로 4)＿＿＿＿＿이/가 미선 씨와 미선 씨 친구 머리를 예쁘게 5)＿＿＿＿＿을/를 해 주었다. 두 사람은 모두 달라진 모습에 만족했다.

문법 연습

─거든요

'─거든요'를 사용하여 이야기를 완성하십시오.

　　빨간 모자는 빵과 포도주를 들고 할머니 댁에 갔어요. 1) <u>엄마 심부름이었거든요.</u>

늦대는 빨간 모자에게 어디에 가냐고 물었어요. 2) ＿＿＿＿＿＿＿＿＿＿. 늑대는
　　　　　　　　　　　　　　　　　　　　　　　　　(궁금했다)

할머니 댁에 가서 할머니를 잡아먹고 할머니 침대에 누워 있었어요. 빨간 모자도

잡아먹고 3) ＿＿＿＿＿＿＿＿＿＿. 빨간 모자를 잡아먹은 늑대는 졸려서 잠이
　　　　　　(싶었다)

들었어요. 배가 4) ＿＿＿＿＿＿＿＿＿.
　　　　　　　　　(불렀다)

─고말고요

대화를 완성하십시오.

1) 가 : 커피 좀 더 주실 수 있어요?

　　나 : <u>더 드리고말고요</u>. 얼마든지 드세요.

2) 가 : 그 사람을 잘 아시지요?

　　나 : 네, ＿＿＿＿＿＿＿＿＿＿＿＿＿. 아주 좋은 사람이에요.

3) 가 : 지갑을 놓고 왔는데 돈은 나중에 드려도 될까요?

　　나 : 그럼요, ＿＿＿＿＿＿＿＿＿＿＿. 다음에 오실 때 주세요.

4) 가 : 사전을 놓고 와서 그러는데, 잠깐 빌려주실 수 있어요?

　　나 : ＿＿＿＿＿＿＿＿＿＿＿＿＿. ＿＿＿＿＿

한 사람은 주인, 한 사람은 손님이 되어 대화를 만들어 봅시다.

손님 : 머리 좀 다듬어 주세요.
주인 : 짧게 자르시는 건 어때요?
　　　요즘 **유행이거든요**.
손님 : 저한테 잘 어울릴까요?
주인 : **어울리고말고요**.

손님 : 아저씨, _____
　　　어/아/여 주세요.
　　　_____ 거든요.
주인 : 네, _____ 고말고요.

손님 : _____ 어/아/여 주세요.
주인 : 네, _____ 고말고요.

01 다음을 읽고 질문에 답하십시오.

집에서 하기 힘든
인형, 운동화, 카펫 세탁 어떻게 하세요?
이제 '깨끗한 세탁소'가 도와드리겠습니다!

인형 세탁

너무 커서 세탁기에 들어가지 않는 인형도 세탁해 드립니다!

카펫 & 커튼 세탁

두꺼운 카펫과 커튼은 집에서 세탁하기 힘드시지요?

150㎠ 미만	15,000원
150-200㎠	20,000원
200㎠ 이상	30,000원

카펫 두께 및 더러운 정도에 따라 가격이 올라갈 수 있습니다.

운동화 세탁

운동화에서 냄새가 나거나 운동화가 너무 더러운가요? 나쁜 냄새를 없애고 새 운동화처럼 깨끗하게 만들어 드립니다.

세탁물이 무거우면 직접 가지고 오시지 않아도 됩니다.
전화만 주시면 저희 직원이 댁으로 찾아뵙겠습니다.

1) 무엇을 하는 곳입니까?

2) 이곳에 맡길 수 있는 물건으로 좋은 것을 고르십시오. (   )

❶ 겨울 동안 덮고 자던 이불
❷ 물로 빨기 어려운 고급 옷
❸ 오래 신어서 색깔이 변한 구두
❹ 동생이 오랫동안 가지고 놀던 곰 인형

3) 위의 가게에 대한 설명으로 **맞지 않는** 것을 고르십시오. (   )

❶ 커다란 커튼을 맡길 수 있다.

❷ 운동화의 냄새를 없앨 수 있다.

❸ 카펫이 더러우면 돈을 더 내야 한다.

❹ 세탁물을 세탁소에 꼭 직접 가지고 가야 한다.

02 대화를 듣고 질문에 답하십시오.

1) 남자는 왜 전화했습니까?

2) 이 세탁소에 대한 설명으로 맞는 것을 고르십시오. (   )

❶ 세탁 기간은 1-2일이다.

❷ 커튼 세탁은 하지 않는다.

❸ 세탁한 후에 집까지 배달해 준다.

❹ 돈은 세탁하기 전에 먼저 내야 한다.

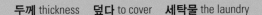

두께 thickness   **덮다** to cover   **세탁물** the laundry

Dialogue

Hair designer	How do you want your hair to be done?
Rie	Cut it short, please. My fringe keeps getting in my eyes. Could you also please dye my hair?
Hair designer	Which color do you want? Bright colors are in fashion nowadays.
Rie	I usually dye my hair dark but do you think a bright color would also look good on me?
Hair designer	I think so. It will suit you for sure.
Rie	Then, please dye it bright for me.

문법 설명

01 -거든요

It is used to add a reason or the own opinion to a prior statement or to a question of the conversation partner. It is attached to verb stems.

- 따뜻한 옷을 많이 가지고 가세요. 거긴 많이 춥거든요.

  Take warm clothes with you, because it is very cold there.

- 그 가게에는 손님이 없어요. 비싸거든요.

  There are not many customers in the shop, because it is very expensive there.

- 저는 그 친구를 아직 잘 몰라요. 만난 지 얼마 안 됐거든요.

  I don't know that friend very well, because it has not been long since I met her/him.

• 가 : 오늘 아주 피곤해 보이네요.

　나 : 네, 좀 피곤해요. 어젯밤에
　　　 잠을 못 잤거든요.

A : You look very tired today.

B : Yes, I am a little tired, because I
　 couldn't sleep last night.

02 －고말고요

It is used to agree to a question of the conversation partner or the prior statement. It means 'of course' or 'I will do it that way'. It is attached to verb stems.

• 가 : 한국이 그렇게 좋아요?

　나 : 좋고말고요. 한국말, 한국사람,
　　　 한국 음식, 다 좋아요.

A : Do you like Korea that much?

B : Of course, I like everything in Korea -
　 the Korean language, the Korean
　 people and the Korean food.

• 가 : 그 친구가 그렇게 똑똑해요?

　나 : 똑똑하고말고요. 모르는 것이
　　　 없다니까요.

A : Is your friend that smart?

B : Yes, he/she is. There is anything he/she
　 doesn't know.

• 가 : 지난번에 빌려준 책 다 읽었어?

　나 : 다 읽고말고요. 너무 재미있어서
　　　 다섯 번이나 읽었는걸요.

A : Have you finished reading the book I
　 lent you?

B : Of course. I have read it five times
　 because it was so much interesting.

• 가 : 이거, 청첩장이야. 내 결혼식에
　　　 꼭 와 줄 거지?

　나 : 그럼, 가고말고. 네 결혼식에
　　　 내가 빠지면 되겠니?

A : This is the wedding invitation. Can you
　 come to my wedding, please?

B : Of course, I am going. What would your
　 wedding be without me?

03 광고를 보고 왔는데요

학습 목표 ● 과제 아르바이트 구하기 ● 문법 -었었-, -던데 ● 어휘 취업 관련 어휘

두 사람은 무엇을 하고 있습니까?
여러분은 아르바이트를 해 본 경험이 있습니까?

🔊 CD1:17~18

구하다
to look for

초보자
a beginner

경험
experience

근무 시간
working hours

다들
everybody

학생　실례합니다. 아르바이트 할 사람을 구한다는 광고를 보고 왔는데요.

주인　아, 그래요? 초보자가 하기는 힘든 일인데 경험은 있나요?

학생　얼마 전까지 이런 일을 했었어요.

주인　우리 가게는 근무 시간이 좀 길어서 다들 힘들어하던데 괜찮겠어요?

학생　네, 괜찮습니다. 열심히 하겠습니다.

주인　그럼 내일부터 같이 일을 하는 것으로 합시다.

어휘

01 관계있는 어휘를 골라 연결하십시오.

초보자 •----------------• 일을 처음 시작하는 사람이에요.

경력자 • • 지금까지 다닌 학교와 경력을 썼어요.

이력서 • • 전에 이런 일을 한 적이 있는 사람이에요.

시간제 • • 일을 하고 받는 돈이에요.

보수 • • 내가 어떤 사람인지 알리는 글이에요.

지기 소개서 • • 일하는 시간만큼 돈을 받아요.

02 빈칸에 알맞은 어휘를 쓰십시오.

신촌 식당에서 같이 일할 분을 찾습니다.

- 하는 일 : 배달 (오토바이 면허 소지자)

- 근무 시간 : 오후 1시~ 오후 5시

- _____ : 시간당 4,000원

- _____ 환영

- _____ 가능

문법 연습

–었었/았었/였었–

01 표를 채우고 문장을 완성하십시오.

질문		대답
1)	옛날에 자주 했지만 지금 하지 않는 운동이 있습니까?	탁구
2)	어렸을 때 안 먹었지만 지금 잘 먹는 음식이 있습니까?	
3)	한국에 오기 전에는 했지만 지금은 하지 않는 것이 있습니까?	
4)	작년과 지금을 비교해 보십시오. 달라진 것이 있습니까?	

1) 지금은 바빠서 못 치지만 옛날에는 탁구를 자주 쳤었다.

2) 지금은 잘 먹지만

3)

4)

-던데

02

다음 그림을 보고 대화를 완성하십시오.

❶

이 카페는 조용하구나.

어제

가 : 우리 숙제 같이 하자.
　　그런데 어디에서 할까?
나 : 내가 어제 간 카페가 <u>조용하던데</u>
　　거기 가자.

❷

10분 전

가 : 마리아가 ＿＿＿＿＿＿＿＿ 던네
　　무슨 일이야?
나 : 나도 모르겠어. 안 좋은 일이
　　생긴 것 같아.

❸

프랑스어,
독일어,
스페인어...

웨이 씨는 여러
나라 말을 할 수
있구나.

가 : 혹시 프랑스어 할 줄 알아?
나 : 아니. 웨이 씨가 ＿＿＿＿＿＿＿
　　웨이 씨한테 물어봐.

❹

비빔밥	15,000원
냉면	10,000원
불고기 1인분	20,000원

가 : 우리 저 식당에서 점심 먹자.
나 : 지난번에 가 보니까 저 식당은
　　너무 ＿＿＿＿＿＿＿ 다른 식당
　　에 가자.

과제 1 　말하기

아르바이트를 구하기 위해 상담실 선생님을 찾아갔습니다. 선생님의 아르바이트 정보를 보고 〈보기〉와 같이 대화해 봅시다.

아르바이트 정보

꽃가게
근무시간 : 오후 3시~8시
업　　무 : 꽃배달
조　　건 : 오토바이 운전면허가 있는 사람
　　　　　　남학생
보　　수 : 시간당 7,000원

학교 사무실
근무시간 : 오후 2시~6시
업　　무 : 간단한 번역 업무와 전화 업무
조　　건 : 일본어 가능한 학생
　　　　　　일본인의 경우 한국어 능통자
　　　　　　3개월 이상 근무 가능한 사람
　　　　　　면접 있음
보　　수 : 시간당 3,000원

교내식당
근무시간 : 오전 근무(9시~1시)와 오후 근무
　　　　　　(1시~6시)
업　　무 : 주문받는 일
조　　건 : 6개월 이상 일할 수 있는 사람만
　　　　　　가능
보　　수 : 시간당 3,000원

면세점
근무시간 : 오후 3시~8시
업　　무 : 물건 판매와 간단한 통역
조　　건 : 중국인. 일본인 학생 모집
　　　　　　한국어 능통자
　　　　　　판매 경험이 있는 사람 우대
　　　　　　1년 이상 일할 수 있는 사람 우대
　　　　　　여학생 우대
보　　수 : 시간당 3,000원

[보기] 리　에 : 안녕하세요? 아르바이트 자리를 구하고 싶어서 왔는데요.

선생님 : 그래요? 한국에서 아르바이트를 한 경험이 있나요?

리　에 : 아니요. 한국에 오기 전에는 일본에 있는 은행에서 **일했었어요.**

선생님 : 그러면 사무실에서 일해 보는 것이 어때요? 번역 일이에요.

리　에 : 번역보다는 한국 사람과 말할 기회가 있는 일을 하고 싶은데요.

선생님 : 면세점에서는 한국 사람과 말할 기회가 많다고 **하던데** 면세점은
　　　　　어때요? 근무 시간은 3시부터 8시까지예요.

리　에 : 괜찮을 것 같은데요.

선생님 : 그럼 면세점에 지원하는 것으로 합시다.

업무 business　**능통자** a professional　**면접** an interview　**판매** sale　**지원하다** to apply

과제 2 듣고 말하기 [CD1:19]

01 대화를 듣고 질문에 답하십시오.

1) 무엇에 대한 이야기입니까? (   )

❶ 꽃가게   ❷ 꽃배달
❸ 아르바이트의 어려움   ❹ 아르바이트 찾기

2) 들은 내용과 같으면 ○ 다르면 ×표시를 하십시오.

❶ 남자는 아르바이트 자리를 구하고 있다.   (   )
❷ 이 일을 하면 시간당 6,000원을 받을 수 있다.   (   )
❸ 남자는 이 일을 해야 할지 안 해야 할지 생각 중이다.   (   )
❹ 이 일을 하기 위해서는 자동차 운전면허증이 필요하다.   (   )

02 리에 씨가 아르바이트를 찾고 있습니다. 다음의 정보를 가지고 리에 씨와 가게 주인이 되어 이야기해 봅시다.

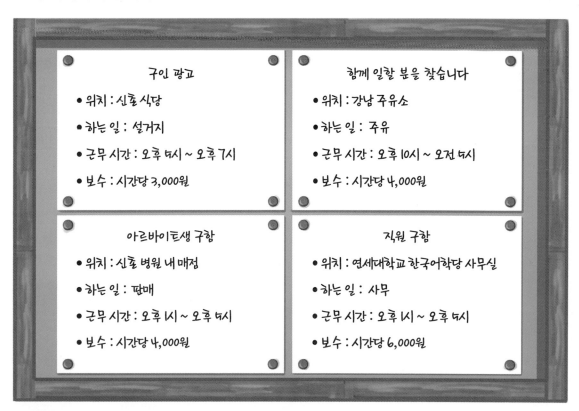

구인 광고
• 위치 : 신촌 식당
• 하는 일 : 설거지
• 근무 시간 : 오후 4시 ~ 오후 7시
• 보수 : 시간당 3,000원

함께 일할 분을 찾습니다
• 위치 : 강남 주유소
• 하는 일 : 주유
• 근무 시간 : 오후 10시 ~ 오전 4시
• 보수 : 시간당 4,000원

아르바이트생 구함
• 위치 : 신촌 병원 내 매점
• 하는 일 : 판매
• 근무 시간 : 오후 1시 ~ 오후 4시
• 보수 : 시간당 4,000원

직원 구함
• 위치 : 연세대학교 한국어학당 사무실
• 하는 일 : 사무
• 근무 시간 : 오후 1시 ~ 오후 4시
• 보수 : 시간당 6,000원

구인 광고 help-wanted advertisement **주유** refueling **매점** store

Dialogue

Student Excuse me, I came here after seeing your advertisement looking for a part-time employee.

Owner Oh, Ok. This is rather difficult work for a beginner, do you have any experience?

Student I had been doing a similar job until recently.

Owner The working hours are very long in our shop and it seems that everybody has had difficulties with that. Do you think you will be ok?

Student Yes, I'll be ok. I'll do my best.

Owner Then, let's work together from tomorrow.

문법 설명

01 -었었/았었/였었-

This expression is used when something happened in the past, but the situation has changed afterwards. It is attached to verb stems. After verbs ending with vowels other than '아,야,오', '-었었-' is used and after verbs ending with vowels '아,야,오', '-았었-' is used. After verbs with '하다' ending '-였었-' is used.

• 작년 여름은 날씨가 좋았었다.	The weather was nicer last summer.
• 지난 주말에 많이 아팠었다.	I was very sick last weekend, (but I am better now)
• 어렸을 때는 이 음식을 자주 먹었었다.	I ate this dish very often when I was a child. (But I don't eat this dish as often now)
• 나는 그 회사에서 일했었다.	I worked for this company (once).
• 그 사람이 아침에 사무실에 왔었다.	This person came to the office this morning.

- 지난 방학에 제주도에 갔었다.　　　　I went to Jeju Island last vacation.

02 -던데

This expression is used when one gives a suggestion or advice based on its own experience. It is attached to verb stems.

- 가 : 오늘 점심은 어디에서 먹을까요?　　A : Where should we eat lunch?
  나 : 학교 앞에 새로 생긴 식당 음식이　　B : The food of the new restaurant in
  　　맛있던데 그 식당에 갑시다.　　　　　　front of our school was delicious,
  　　　　　　　　　　　　　　　　　　　so let's go there.

- 가 : 이 단어가 무슨 뜻인지　　　　A : I don't know the meaning of this
  　　모르겠어요.　　　　　　　　　　word.
  나 : 저도 모르겠는데요. 리에 씨가　　B : Neither do I. I saw Rie had a
  　　사전을 가지고 있던데 빌려　　　　dictionary, so you can ask her
  　　달라고 하세요.　　　　　　　　　to lend it to you.

- 가 : 마리아 씨가 아까 급하게　　　　A : I saw Maria running with her bag
  　　뛰어 가던데 무슨 일이 있나요?　　　somewhere. Did something happen?
  나 : 지갑을 잃어버렸나 봐요.　　　　B : I think she lost her purse.

- 가 : 컴퓨터를 새로 사려고 해요.　　　A : I am planning to buy a new computer.
  나 : 웨이 씨가 컴퓨터에 대해서　　　B : Wei knows a lot about computers.
  　　잘 알던데 웨이씨한테 도와　　　　　Ask him to help you.
  　　달라고 하세요.

04 전화가 걸리지 않아요

학습 목표 ● 과제 수리 요청하기 ● 문법 피동, -어 놓다 ● 어휘 고장 및 수리 관련 어휘

여기는 어디입니까?
물건이 고장나면 어떻게 합니까?

**(전화가)
걸리다**
to go through
(the phone
call)

수리
repair

들다
to cost

구입하다
to purchase

맡기다
to leave
something
with someone

🔊 CD1:02~21

리에 　휴대전화기 좀 고치러 왔는데요.
　　　산 지 얼마 안 됐는데 전화가 걸리지 않아요.

직원 　어디 좀 봅시다. 프로그램에 문제가 있는 것 같네요.

리에 　수리 비용은 얼마나 들까요?

직원 　구입한 지 일 년이 안 되셨으니까 무료입니다.

리에 　지금 맡기면 언제 찾을 수 있어요?

직원 　한 시간 후에 오십시오. 그 때까지 고쳐 놓겠습니다.

어휘

01 [보기]에서 알맞은 어휘를 골라 빈칸에 쓰십시오.

> [보기]
> 고장나다/이상이 있다   사용 설명서를 보다   전화로 문의하다   서비스 센터에 맡기다
> 수리를 요청하다   서비스 센터에서 찾다   수리를 받다   수리를 하다

고장나다/이상이 있다

지금 고치러 와 주실 수 있어요?

수리를 받다

고맙습니다, 수고하셨습니다.

02 빈칸에 알맞은 어휘를 쓰십시오.

1) 자동차를 잘 알면 ~~이상이 있을~~ 을/ㄹ 때 직접 고칠 수도 있다.

2) 이번에 회사 화장실을 깨끗하게 _____ 기로 했다.

3) 서비스 센터에 수리를 요청하기 전에 _____ 으세요/세요.

4) 자전거가 고장이 나서 자전거 수리 센터에 _____ 으러/러 갔다.

5) 어제 시계를 새로 샀는데 시간이 잘 맞지 않는다. 시계가 _____ 는/은/ㄴ
   것 같다.

문법 연습

01

피동

다음 그림을 보고 문장을 완성하십시오.

1) 음악 소리가 <u>들린다</u>.

2) 창 밖으로 63빌딩이 _____

3) 책상 위에는 _____

4) 책장에는 책이 _____

- 어/아/여 놓다

다음 메모를 보고 대화를 완성하십시오.

집들이 준비

● 청소
☑ 방 청소
☐ 화장실 청소 - 나중에

● 음식 준비
☑ 불고기
☐ 잡채, 김밥 - 사람들 오기 전까지

● 초대 전화
☑ 선생님
☑ 제임스 씨
☑ 웨이 씨
☑ 미선 씨

가: 방 청소는 다 했어?

나: 1)오늘 아침에 다 해 놓았어.

가: 화장실 청소도 했지?

나: 아니 아직. 이따가 2) _____

_____

가: 음식 준비는 어떻게 됐어? 불고기는 어제 만들었고 잡채하고 김밥은?

나: 응, 3) _____

가: 사람들한테 전화도 다 했지?

나: 4) _____

_____

과제 1 쓰기

휴대 전화에 어떤 문제가 생겼는지 [보기 1]에서 단어를 찾아 알맞은 형태로 바꿔 쓰십시오. 그리고 어떤 것을 점검해 봐야 할지 [보기 2]에서 찾아 써 봅시다.

[보기 1]
걸다   듣다
켜다   찍다
누르다

[보기 2]
- 배터리를 다시 잘 끼워 보십시오.
- 전화번호를 확인해 보십시오.
- 통화 음량 조절 버튼을 눌러 보십시오.
- 자판을 청소해 보십시오.
- 카메라 렌즈에 먼지가 있는지 확인하십시오.

문제점	제안
휴대 전화가 켜지지 않아요.	• 배터리를 충전하십시오. • ....
전화가 .... 지 않아요.	• 다시 걸어 보십시오. • ....
상대방 목소리가 .... 지 않아요.	• 전화를 디시 걸어 보십시오. • ....
번호 키가 잘 눌러지지 않아요.	• 물에 빠뜨린 적이 있는지 확인해 보십시오. • ....
사진이 잘 .... 지 않아요.	• 주변이 너무 어둡지 않은지 확인하십시오. • ....

배터리 battery   **충전하다** charge (with electricity)   **자판** keyboard

01   다음을 읽고 질문에 답하십시오.

〈사용시 주의 사항〉

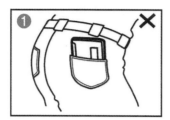

바지 뒷주머니에 넣지 마십시오.
앉을 때 화면 부분이 깨질 수 있습니다.

온도가 높은 곳에 두지 마십시오.
햇볕이 들어오는 곳에 오래 두지 마십시오.

물로 닦거나 젖은 수건으로 닦지 마십시오.

화면 부분은 유리로 되어 있으므로 세게 누르지 마십시오.

자판을 뾰족한 것으로 누르거나 아주 세게 누르지 마십시오. 자판이 고장 날 수 있습니다.

1) 이 기계를 사용할 때 주의할 점으로 **말하지 않은** 것을 고르십시오. (   )

❶ 난방 기구 위에 오래 두면 안 된다.
❷ 실수로 떨어뜨리지 않게 주의해야 한다.
❸ 앉을 때 깔고 앉지 않게 주의해야 한다.
❹ 이 기계에 물이 떨어지지 않게 주의해야 한다.

2) 이 기계를 잘 사용하고 있는 사람은 누구입니까? (   )

❶ 마리아 씨는 이 기계를 마른 수건으로 닦는다.
❷ 영수 씨는 가끔 볼펜으로 자판을 누르기도 한다.
❸ 정희 씨는 기계를 청소하기 위해 물휴지로 닦는다.
❹ 미선 씨는 이 기계를 바지 뒷주머니에 넣고 다닌다.

02 다음 질문에 답해 보십시오.

1) 여러분이 가지고 있는 기계가 고장이 난 적이 있습니까? 어떤 고장이었습니까?

☐ 이상한 소리가 난다.
☐ 전원이 나갔다.
☐ 작동이 안 된다.
☐ 화면이 안 뜬다.
☐ 기타 _____

2) [보기]와 같이 수리 센터에 수리를 요청해 봅시다.

[보기]

　제 전자 사전에 이상이 있는 것 같아요. 자판을 눌러도 화면에 글자가 나타나질 않아요. 화면의 액정 부분이 고장인 것 같아요. 동생이 액정 부분에 물건을 떨어뜨렸거든요. 고칠 수 있을까요? 고치려면 제가 직접 가야 하나요? 택배로 보내도 될까요? 전자 사전을 당장 써야 하는데 제가 서비스 센터까지 갈 시간이 없거든요. 고치려면 며칠이나 걸릴까요? 고칠 수 없는 것은 아니지요?

제 _____ 에 이상이 있는 것 같아요. _____

_____

_____

_____

_____

온도 temperature　　**젖다** to get wet　　**화면** screen　　**뾰족하다** to be sharp　　**액정** a liquid crystal　　**작동** operating

Dialogue

Rie	I am here to get my cell phone fixed. I have just bought it recently, but phone calls are not going through.
Shop assistant	Let me see it. I think there is a problem with the program.
Rie	How much will it cost to get it fixed?
Shop assistant	There is no charge since it hasn't been a year after you have bought it.
Rie	If I leave it with you now, when can I get it back?
Shop assistant	Please come back in an hour. I will have it fixed by then.

문법
설명

01 피동

Passive forms

In Korean, one attaches the adhesive syllables '이,히,리,기' to show that the form is passive. Passive forms show the influence of another person's action to one's action.

[피동]	보다–보이다	쌓다–쌓이다	놓다–놓이다	바꾸다–바뀌다
	잡다–잡히다	읽다–읽히다	밟다–밟히다	먹다–먹히다
	걸다–걸리다	팔다–팔리다	열다–열리다	듣다–들리다
	안다–안기다	씻다–씻기다	쫓다–쫓기다	끊다–끊기다

- 우리 교실에서는 기숙사가 보인다.　The dormitory can be seen from our class room.
- 어제 경찰에 잡힌 도둑은 60대의 할머니였다.　The thief who was caught by the police yesterday was a 60-year-old woman.
- 주위가 너무 시끄러워서 전화 소리가 잘 안 들린다.　The surrounding is so noisy that the telephone can't be heard.
- 엄마 품에 안겨 있는 아이의 모습이 정말 예뻤다.　The child who is nestled in his/her mother's bosom looked very pretty.

02 -어/아/여 놓다

This expression is used when the preparation in the leap up to an action is completed and then the state of that situation is maintained. It is attached to an action verb stem. After verbs ending with vowels other than '아,야,오', '-어 놓다' is used and after verbs ending with vowels '아,야,오', '-아 놓다' is used. After verbs with 하다' ending '-여 놓다' is used.

- 아이들 간식은 만들어 놓았으니까 이따가 좀 챙겨 주세요.　I have made some snacks for children, so can you please give it to them later.
- 빨래할 옷은 세탁기 옆 바구니에 넣어 놓으시면 빨아 드립니다.　I will wash your clothes for you, if you put your laundry in the basket next to the washing machine.
- 틀린 부분은 고쳐 놓았으니까 집에서 다시 공부하세요.　I have corrected the wrong parts, so please study them again at home.
- 비행기 표는 예약해 놓았는데 회사일 때문에 여행을 갈 수 있을지 모르겠어.　I have arranged my flight, but I don't know if I will be able to go travelling due to things in the company.

05 정리해 봅시다

01 다음 상황에서 가야할 곳을 쓰십시오. 그리고 그곳에서는 어떤 일을 하는지 [보기]에서 골라 쓰십시오.

> [보기] 옷을 줄여 줍니다.　　　핸드폰 액세서리를 팝니다.　　　가방을 고쳐 줍니다.
>
> 　　　　머리를 염색해 줍니다.　 이삿짐을 보관해 줍니다.

1) 머리를 다듬고 싶습니다. 　　　　　　　→ 　미장원　 : 머리를 염색해 줍니다.
2) 이사를 하고 싶습니다. 　　　　　　　　→ 　　　　　 :
3) 옷에 묻은 얼룩이 지워지지 않아요. 　→ 　　　　　 :
4) 구두가 더러워서 닦아야 해요. 　　　　→ 　　　　　 :
5) 휴대 전화 전원이 안 켜져요. 　　　　　→ 　　　　　 :

02 다음 표현을 사용하여 대화를 완성하십시오.

> -으려던 참이다 　 -을 텐데 　 -거든요 　 -고말고요 　 -었었다 　 -던데 　 -어 놓다

왕웨이 : 리에 씨, 저 왕웨이인데요.

리에 　 : 왕웨이 씨, 안 그래도 지금 막 ＿＿＿＿＿＿＿＿＿＿＿＿＿ 었어요/았어요/였어요.
　　　　　　　　　　　　　　　　　　 (전화하다)

　　　　 오늘 친구들이랑 저희 집 집들이에 오실 거지요?

왕웨이 : 그럼요, ＿＿＿＿＿＿＿＿＿＿＿. 그런데 저는 회사 일이 좀 늦게 끝날 것 같아요.
　　　　　　 (가다)

　　　　 저녁에 회의가 ＿＿＿＿＿＿＿＿＿＿. 회의가 끝나고 가면 좀 ＿＿＿＿＿＿＿
　　　　　　　　　　 (있다)　　　　　　　　　　　　　　　　　　　 (늦다)

　　　　 괜찮을까요?

리에 　 : 늦게 와도 괜찮으니까 걱정 말고 오세요.

왕웨이 : 미안해요. 회의가 끝나는 대로 바로 갈 테니까 음식 좀 남겨 주세요.

리에 　 : 왕웨이 씨 음식은 따로 ＿＿＿＿＿＿＿＿＿＿ 을/ㄹ 테니까 걱정 마세요.
　　　　　　　　　　　　　　　　 (준비하다)

03 한국이나 여러분의 나라에서 아르바이트를 해 본 일이 있습니까?
있으면 여러분의 경험을 이야기해 보십시오.
없으면 어떤 일을 해 보고 싶은지 이야기해 보십시오.

문화

이사 떡 [CD1:22]

한국에는 새 집으로 이사를 가면 이웃에게 이사 떡을 돌리는 풍습이 있습니다. 이사 떡을 돌리면서 새로 이사 간 집 근처에 사는 이웃 사람들에게 인사를 하는 것입니다. 이사 떡으로는 보통 아래의 그림과 같이 팥으로 만든 팥 시루떡을 돌렸습니다. 팥은 붉은 색이 나는 콩의 한 종류이고, 시루는 떡을 만드는 한국 전통의 조리 기구입니다. 팥 시루떡은 한국 사람들에게 가장 친근한 떡입니다. 팥의 붉은색이 나쁜 귀신을 쫓는다고 하여 한국 사람들은 집을 지을 때, 이사했을 때 이 떡을 만들어 먹곤 했습니다. 이웃에게 이사 떡을 돌릴 때는 보통 다음과 같은 인사를 함께 합니다. 여러분도 한 번 연습해 보십시오.

팥 시루떡

"안녕하세요? 옆집에 이사 온 사람입니다. 앞으로 잘 부탁드립니다."

"처음 뵙겠습니다. 오늘 이사 온 ○○○ 입니다. 이거 떡인데 좀 드셔 보세요."

"안녕하세요? 처음 뵙겠습니다. 오늘 이사 왔는데 앞으로 잘 부탁드립니다."

"   "

1. 여러분의 나라에도 이사할 때 한국의 이사 떡 돌리기와 같은 풍습이 있습니까? 있으면 한국의 풍습과 비교하여 소개해 봅시다.

2. 여러분의 나라에는 일상생활에서 그 밖에 어떤 풍습이 있습니까? 한 가지를 조사하여 발표해 봅시다.

돌리다 to give out   **팥** red bean   **시루** an earthenware steamer   **조리 기구** cooking kit

제3과 건강

01 건강해야 뭐든지 할 수 있어요

학습 목표 ● 과제 건강에 대한 관심 이야기하기 ● 문법 –어야, –는다면 ● 어휘 건강 관련 어휘

제임스 씨는 지금 어떤 것 같습니까?
여러분은 한국에 와서 아픈 적이 있습니까?

CD1:23~24

미선　제임스 씨, 어디 가세요?

제임스　몸이 좀 아파서 병원에 갔다 오는 길이에요.

미선　안색이 안 좋은데 많이 아파요?

제임스　네, 지난주에 과로를 해서 몸살이 난 것 같아요.

미선　몸이 건강해야 뭐든지 할 수 있으니까 무리하지 마세요.

제임스　네, 맞아요. 뭐니 뭐니 해도 건강이 제일이지요.
　　　　건강을 잃는다면 뭘 할 수 있겠어요?

안색
complexion

몸살이 나다
to be aching
all over

무리하다
to overdo

**뭐니 뭐니
해도**
after all

잃다
to lose

어휘

01 [보기]에서 알맞은 어휘를 골라 빈칸에 쓰십시오.

[보기] 스트레스 불면증 흡연 비만 고혈압 운동 부족

원인	운동을 잘 안 해요.	→	운동 부족
	고민, 걱정 때문에 이것을 받아요.	→	
	담배를 피워요.	→	
증상	체중이 너무 많이 나가요.	→	
	혈압이 너무 높아요.	→	
	잠을 못 자요.	→	

02 빈칸에 알맞은 어휘를 쓰십시오.

1) 제임스 씨는 요즘 회사 일이 바빠서 스트레스 ~~이~~/가 많이 쌓였습니다.
2) ________ 은/는 나쁜만 아니라 주위 사람의 건강도 해칩니다.
3) 사무실에 앉아서 일만 하면 ________ 이/가 되기 쉽습니다.
4) 기름이 많은 음식을 자주 먹으면 ________ 이/가 될 수 있습니다.
5) ________ 이/가 있는 사람은 커피를 많이 마시지 않는 것이 좋습니다.

문법 연습

01

관계있는 것을 연결해서 문장을 만드십시오.

1) 매일 운동을 하다 •   • 주말에 마음놓고 쉴 수 있어요.

2) 약을 먹다 •   • 학교에 지각하지 않을 거예요.

3) 오늘까지 이 일을 끝내다 •   • 빨리 나을 거예요.

4) 아침 8시에 집에서 나오다 •   • 건강하게 지낼 수 있어요.

1) 매일 운동을 해야 건강하게 지낼 수 있어요.

2)

3)

4)

02

-는다면/ㄴ다면/다면

여러분이 다음과 같은 경우라면 무엇을 하겠습니까? 빈칸에 쓰십시오.

1)	세상에서 돈이 제일 많은 사람이다.
2)	영원히 살 수 있다.
3)	일년 동안 휴가를 간다.
4)	타임머신이 있다.

1) 내가 세상에서 돈이 제일 많은 사람이라면 가난한 사람들을 도와 줄 거예요.

2)

3)

4)

과제 1 쓰기

리에는 건강 때문에 고민입니다. 리에의 고민을 해결할 수 있는 좋은 방법을 표에 써 봅시다.

[리에의 고민]

　나는 요즘 건강이 나빠진 것 같아 걱정이다. 몸무게도 많이 늘었고 날씨가 조금만 추워져도 감기에 잘 걸린다. 학교 공부가 끝나면 너무 피곤해서 낮잠을 조금 자는데, 밤에는 잠이 오지 않는다. 밤에 잠을 잘 못 자니까 항상 피곤하다. 또 밤 11시가 넘으면 배가 고파서 라면을 먹는다. 라면 때문에 살이 찌는 걸까?

리에의 고민	몸무게가 많이 늘었어요.	감기에 자주 걸려요.	밤에 잠을 잘 못 자요.
해결 방법	밤에 라면을 안 **먹어야** 살이 빠질 거예요.		

과제 2 듣고 말하기 [CD1:25]

01 이야기를 듣고 질문에 답하십시오.

1) 제임스 씨의 생활 습관과 같으면 ○ 다르면 ×표시를 하십시오.

❶ 담배를 피우지 않는다.　(　　　)　❷ 술을 자주 마신다.　　　　(　　　)
❸ 운동을 적당하게 한다.　(　　　)　❹ 과로는 절대로 하지 않는다. (　　　)

2) 만일 여러분이 의사라면 제임스 씨에게 어떻게 이야기하시겠습니까? 그 내용을 쓰고 발표해 봅시다.

술	
음식	
담배	
일	
기타 생활 습관	

야근 overtime　**유혹** temptation　**뿌리치다** to repel　**충고** advice

02 건강에 대한 평소의 관심에 대해 이야기해 봅시다.

1) 다음의 표에 표시한 후 그 내용을 점수로 계산해 봅시다.

	매우 그렇다 ❶	조금 그렇다 ❷	보통이다 ❸	별로 그렇지 않다 ❹	매우 그렇지 않다 ❺
술을 자주 마십니까?	매우 그렇다 ❶	조금 그렇다 ❷	보통이다 ❸	별로 그렇지 않다 ❹	매우 그렇지 않다 ❺
담배를 자주 피웁니까?	매우 그렇다 ❶	조금 그렇다 ❷	보통이다 ❸	별로 그렇지 않다 ❹	매우 그렇지 않다 ❺
커피나 탄산음료를 자주 먹습니까?	매우 그렇다 ❶	조금 그렇다 ❷	보통이다 ❸	별로 그렇지 않다 ❹	매우 그렇지 않다 ❺
스트레스가 많습니까?	매우 그렇다 ❶	조금 그렇다 ❷	보통이다 ❸	별로 그렇지 않다 ❹	매우 그렇지 않다 ❺
인스턴트 음식을 자주 먹습니까?	매우 그렇다 ❶	조금 그렇다 ❷	보통이다 ❸	별로 그렇지 않다 ❹	매우 그렇지 않다 ❺
가족/친구와의 관계에 문제가 있습니까?	매우 그렇다 ❶	조금 그렇다 ❷	보통이다 ❸	별로 그렇지 않다 ❹	매우 그렇지 않다 ❺
운동을 안 합니까?	매우 그렇다 ❶	조금 그렇다 ❷	보통이다 ❸	별로 그렇지 않다 ❹	매우 그렇지 않다 ❺
잠을 잘 못 잡니까?	매우 그렇다 ❶	조금 그렇다 ❷	보통이다 ❸	별로 그렇지 않다 ❹	매우 그렇지 않다 ❺
일/공부가 재미없습니까?	매우 그렇다 ❶	조금 그렇다 ❷	보통이다 ❸	별로 그렇지 않다 ❹	매우 그렇지 않다 ❺
사랑하는 사람이 없습니까?	매우 그렇다 ❶	조금 그렇다 ❷	보통이다 ❸	별로 그렇지 않다 ❹	매우 그렇지 않다 ❺

총점= (①의 개수×1점)+(②의 개수×3점)+(③의 개수×5점)+(④의 개수×8점)+(⑤의 개수×10점)

총점:

2) 여러분의 점수와 친구들의 점수를 비교해 봅시다. 누구의 점수가 제일 높습니까? 아래의 기준을 가지고 여러분의 건강에 관한 관심에 대해서 [보기]와 같이 이야기 해 봅시다.

[기준]

매우 건강하지 않은 생활입니다.   매우 건강한 생활입니다.

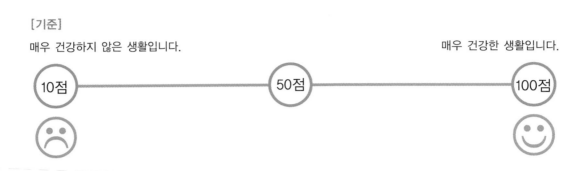

[보기]

제 점수는 90점이 나왔는데요. 저는 평소에 건강에 대해 관심이 많은 편입니다. 술은 일주일에 두 번 이상 마시지 않으려고 노력하고 마셔도 과음하지 않습니다. 담배는 피우지 않습니다. 커피와 인스턴트 음식도 가능하면 먹지 않으려고 노력합니다. 일주일에 세 번 이상은 1시간 정도 달리기를 합니다. 일 때문에 스트레스가 좀 있지만 친구나 가족을 만나 즐거운 대화를 하면서 그 스트레스를 풉니다. 늘 바빠서 그런지 밤에는 잠자리에 눕자마자 잠이 드는 편입니다. 일이 재미있냐고요? 물론이지요. 저는 제가 하는 일을 즐기려고 노력합니다.

Dialogue

Miseon	James, where are you going?
James	I felt sick so I went to the hospital. Now I'm on my way back.
Miseon	You look very pale, do you feel very sick?
James	Yes. I am aching all over because I overworked last week.
Miseon	You can do anything only when you are healthy. So don't overdo it.
James	Yes, that's right. After all, health is the most important thing. What would I do if I lost my health?

문법
설명

01 -어야/아야/여야

It is used when the fact or situation in the beginning of the sentence is a necessary condition for the situation at the end. It is attached to verb stems. After verbs ending with vowels other than '아,야,오', '-어야' is used and after verbs ending with vowels '아,야,오', '-아야' is used. After verbs with '하다' ending '-여야' is used.

- 한국에서는 20살이 넘어야 술을 마실 수 있어요.
- 오늘까지 이 일을 끝내야 내일 여행을 갈 수 있어요.
- 과일은 신선해야 맛이 있어요.
- 저는 노래를 들으면서 공부해야 공부가 잘 돼요.

In Korea you are allowed to drink only when you are over 20.

I can go on vacation tomorrow only when I finish this by today.

Fruits are delicious only when they are fresh.

I can study well only while listening to music.

02 −는다면/ㄴ다면/다면

It is used for assuming a situation whose potential is either impossible to realize. It is mainly used with '만약, 만일' and is attached to verb stems. In case of an action verb, if the verb ends with a consonant '−는다면' is used and if it ends with a vowel −ㄴ다면' is used. After a descriptive verb, '다면' is followed and after a noun '−이라면' is used.

• 만일 두 사람이 헤어진다면 아이는 누가 키울까요?	If the two split up, who will bring up the child?
• 다시 태어날 수 있다면 남자로 태어나고 싶어요.	If I could be born again, I would like to be a man.
• 오늘이 금요일이라면 영화를 볼 수 있을 텐데.	We could see a movie if today was Friday.
• 내가 만약 새라면 가고 싶은 곳에 마음대로 날아갈 수 있을 텐데.	If I were a bird, I could go anywhere I want.

02 건강을 유지하려면 노력을 해야지요

학습 목표 ● 과제 건강을 위한 운동 소개하기 ● 문법 –어야지요, 사동 ● 어휘 운동 관련 어휘

두 사람은 지금 무엇을 하고 있습니까?
여러분은 어떤 운동을 합니까?

CD1:26~27

상쾌하다
to be
refreshing

식욕
appetite

유지하다
to maintain

노력
effort

깨우다
to wake up

미선 아침 운동을 하니까 어때요?

마리아 기분이 상쾌해지네요. 식욕도 생기고요.

미선 저는 한 1년 전부터 아침마다 운동을 했는데 건강이 많이 좋아졌어요.

마리아 그래요? 저는 아침에 학교 가기도 바빠요.

미선 건강을 유지하려면 노력을 해야지요. 우리 내일도 이 시간에 만나요.

마리아 좋아요. 내일 아침에도 전화해서 깨워 주실 수 있죠?

어휘

01 [보기]에서 알맞은 표현을 찾아 쓰십시오.

[보기] 체중이 줄다   근육이 생기다   피로가 풀리다

스트레스가 풀리다   열량을 소모하다

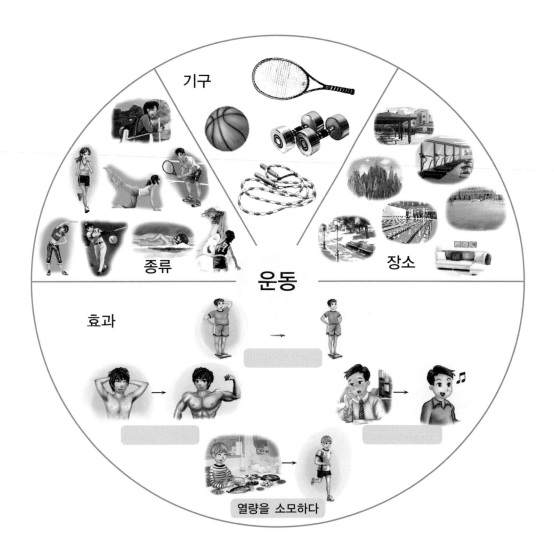

02 빈칸에 알맞은 어휘를 쓰십시오.

1) 오랜만에 찜질방에 다녀오니까 그동안 쌓였던 <u>피로 어</u>가 풀렸다.

2) 노래방에 가서 큰 소리로 노래를 부르면 _____ 이/가 풀린다.

3) 오랫동안 운동과 다이어트를 같이 해서 _____ 이/가 많이 줄었다.

4) 매일 아침 한 시간씩 달리기를 하니까 다리에 _____ 이/가 생겼다.

5) 공부를 하면 _____ 이/가 빨리 소모되니까 아침 식사를 잘 해야 한다.

문법 연습

01

-어야지요/아야지요/여야지요

다음 표의 빈칸을 채우고 [보기]와 같이 옆 사람과 대화하십시오.

	상황	충고
1)	매일 야근으로 건강이 나빠졌다.	건강도 생각하셔야지요.
2)	일이 많아 숙제를 못 하고 있다.	
3)	친구하고 싸워서 말도 안 한다.	
4)	돈을 다 썼다.	

[보기] 가 : 요즘 건강이 너무 나빠진 것 같아요. 자꾸 피곤하기만 하고요.

나 : 일도 좋지만 건강도 생각하셔야지요. 내일 아침부터 저하고 같이
　　　운동하는게 어때요?

02

사동

빈칸에 알맞은 동사의 형태를 써서 이야기를 완성하십시오.

약속이 있어서 하숙집 아줌마에게 일찍 ＿＿＿＿＿ ~~어/아/여~~ 달라고 부탁했지만
　　　　　　　　　　　　　　　　　　　　　　 (깨다)
아파서 일어날 수 없었다. 아줌마는 죽을 ＿＿＿＿＿ 어서/아서/여서 내 방에 가지
　　　　　　　　　　　　　　　　　　 (끓다)
고 오셨다. 아줌마는 아플 때는 더 잘 먹어야 한다고 말씀하시면서 죽을 ＿＿＿＿＿
　　　　　　　　　　　　　　　　　　　　　　　　　　　　　　　　　 (먹다)
어/아/여 주셨다. 갑자기 고향에 계신 어머니 생각이 났다. 어렸을 때 나는 자주 아
팠다. 열이 많이 나면 우리 어머니는 내 옷을 ＿＿＿＿＿고 찬 수건으로 몸을 닦아
　　　　　　　　　　　　　　　　　　　　　 (벗다)
주셨다. 열이 좀 내리면 옷을 ＿＿＿＿＿고 따뜻한 수프를 ＿＿＿＿＿ 어/아/여 주
　　　　　　　　　　　　　(입다)　　　　　　　　　　 (먹다)
셨다. 그리고는 엄마 품에 꼭 안아서 ＿＿＿＿＿ 어/아/여 주셨다. 어머니 생각에 눈
　　　　　　　　　　　　　　　　 (자다)
물이 났다.

다음 기사를 읽고 [보기]와 같이 선희 씨에게 이야기를 해 봅시다.

선희 씨는 두 아이를 둔 주부입니다. 두 아이 모두 몸무게가 많이 나가고 남편도 결혼 전보다 살이 많이 쪄서 걱정입니다. 가족의 건강을 지키려면 선희 씨는 어떻게 해야 할까요?

'아침 운동'하루 중 다이어트 효과가 제일 높다

아침 식사 전에 히는 운동은 다이어트 효과가 크다. 항상 같은 시간에 일어나서 운동을 하는 것이 좋다.

반드시 식사 전에 운동을

식사 후에 하는 운동은 소화를 방해할 수 있다.

규칙적으로 운동을

규칙적으로 운동을 하는 것이 중요하다. 같은 시간에 일어나는 것이 좋다.

운동복을 따뜻하게

아침 운동을 할 때에는 띠뜻한 운동복을 입는 것이 좋다. 감기에 걸리지 않으려면 운동을 하다가 더워도 옷을 빗지 않는 것이 좋다.

[보기]

● 선희 씨, 운동 전에 아침은 **먹이지** 마세요.

●

●

●

다이어트 diet

과제 2 읽고 말하기

01 다음을 읽고 질문에 답하십시오.

〈1시간 활동에 따른 체중별 소비 열량〉

몸무게에 따른 소비 열량(cal)

활동 내용	50kg	60kg	70kg	80kg	90kg
슈퍼(바구니이용)	210	252	294	336	378
요리하기	120	144	168	192	216
서서 회의하기	210	252	294	336	378

〈30분 활동에 따른 체중별 소비 열량〉

몸무게에 따른 소비 열량(cal)

활동 내용	50kg	60kg	70kg	80kg	90kg
지하철에 앉아서 가기	53	63	74	84	95
버스에 서서 가기	105	126	147	168	189
부엌 가사 노동	60	72	84	96	108

집안일을 할 때보다는 조금이라도 몸을 움직일 때 열량을 더 많이 소비하는 것으로 나타났다. 체중별 소비 열량 조사 결과를 보면 1시간 동안 요리를 할 때 소비하는 열량이 장바구니를 이용해서 쇼핑을 할 때보다 낮은 것을 알 수 있다. 특히 대중교통 이용시 30분 동안 앉아서 가는 것보다 서서 가는 것이 훨씬 더 많은 열량을 소비하는 것으로 나타났다.

1) 이 글의 내용과 같으면 ○ 다르면 ×표시를 하십시오.

❶ 몸무게에 따라 열량 소비량이 달라진다. ( )

❷ 집안일이 쇼핑을 하는 것보다 열량 소비량이 많다. ( )

❸ 서서 회의할 때와 버스에 서서 갈 때 소비 열량은 같다. ( )

❹ 열량 소비를 많이 하려면 집안일 이외에 몸을 움직이는 다른 활동을
하는 것이 좋다. ( )

2) 운동량이 많은 집안일로는 어떤 것이 있을까요?

소비 consumption   **장바구니** shopping bag   **대중교통** public transportation

02 다음은 10대와 30대가 좋아하는 운동의 종류를 조사한 결과입니다. 다음 표를 보고 [보기]와 같이 이야기해 봅시다.

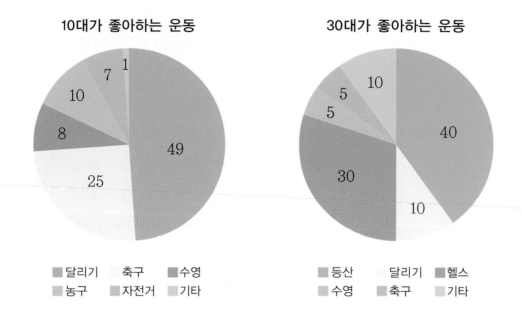

10대가 좋아하는 운동

30대가 좋아하는 운동

■달리기 ■축구 ■수영
■농구 ■자전거 ■기타

■등산 ■달리기 ■헬스
■수영 ■축구 ■기타

[보기]

10대들은 30대보다 달리기를 좋아하는 <u>것으로 나타났다.</u>

10대들은 30대보다 달리기를 좋아하는 <u>것을 알 수 있다.</u>

10대들은 30대보다 달리기를 좋아하는 <u>것으로 보인다.</u>

YONSEI KOREAN 3

Dialogue

Miseon	How is it to do exercise in the morning?
Maria	I feel refreshed. And I also have built up a good appetite.
Miseon	I started exercising a year ago and since then I have become a lot healthier.
Maria	Really? Even getting all my things ready for school in the morning keeps me busy.
Miseon	If you want to maintain good health, you must put in a lot of effort. Let's meet again at this time tomorrow.
Maria	Okay! Can you call me to wake me up tomorrow?

문법 설명

01 –어야지요/아야지요/여야지요

This expression is used to indicate what either the listener or a third party would or must do. It is attached to an action verb stem. After verbs ending with vowels other than '아,야,오', '–어야지요' is used and after verbs ending with vowels '아,야,오', '–아야지요' is used. After verbs' with '하다ending '–여야지요' is used. '–어야지' is used in conversation with close friends or people who are younger in age or lower in hierarchy.

- 학생들은 공부를 해야지요. — Students must study hard.
- 잊어버리지 않으려면 중요한 일은 메모해 놓아야지요. — You should take notes if you don't intend to forget the import things.
- 너도 이제 취직할 생각을 해야지. — You should now think about finding a job.

- 가 : 2차로 노래방 어때? 내가 낼게.

  나 : 밤이 늦었는데 집에들 가셔야지요. 오늘은 여기서 헤어지죠.

- 가 : 매일 야근을 해서 그런지 몸이 예전같지 않아요.

  나 : 일도 좋지만 건강도 생각해야지요.

A : What about the Karaoke for the 2nd round? I will pay for it.

B : Since it is already late, you should go home. Let's stop here for today.

A : My body is not like it was before. I think it's because I worked overtime everyday.

B : Working is good, but you should also take care of your health, too.

02 사동

In Korean, by attaching adhesive syllables '이,히,리,기,우,추' the verbs show that one wants to make a person or an animal do an action in order to reach a certain situation through other people.

[사동]

보다 - 보이다	먹다 - 먹이다	죽다 - 죽이다	끓다 - 끓이다
앉다 - 앉히다	읽다 - 읽히다	입다 - 입히다	눕다 - 눕히다
살다 - 살리다	알다 - 알리다	울다 - 울리다	듣다 - 들리다
웃다 - 웃기다	벗다 - 벗기다	남다 - 남기다	숨다 - 숨기다
자다 - 재우다	타다 - 태우다	깨다 - 깨우다	서다 - 세우다
낮다 - 낮추다	늦다 - 늦추다	맞다 - 맞추다	맡다 - 맡기다

- 아저씨, 생일카드 좀 보여 주세요.

  Can you show me some birthday cards, please?

- 어머니가 아이에게 옷을 입힌다.

  The mother dresses the child.

- 반 친구들 모두에게 이 사실을 알려야겠다.

  I have to tell my classmate this fact.

- 부장이 나에게 그 일을 맡겼다.

  The director entrusted this task to me.

- 아침 6시에 깨워 주세요.

  Please wake me up at 6 o' clock.

03 김치라든가 된장 같은 음식은 대표적인 건강식이죠

학습 목표 ● 과제 건강식 조사하기 ● 문법 이라든가, -는다고 하던데 ● 어휘 음식 관련 어휘

번거롭다
to be complicated

손이 가다
to require a lot of time and effort

대표적이다
to be representative

건강식
healthy food

김장철
the season of making Kimchi for winter

김장하다
to make Kimchi for winter

두 사람은 무엇을 하고 있습니까?
건강에 좋은 음식으로는 무엇이 있습니까?

CD1:28~29

웨이 한국 요리는 만들기가 좀 번거로운 것 같아요.

정희 맞아요. 날마다 먹는 김치도 손이 많이 가는 음식이에요.

웨이 손은 많이 가지만 건강에는 좋다고들 하던데요.

정희 네, 김치라든가 된장 같은 음식은 대표적인 건강식이죠.

웨이 요즘 김장철이라고 하던데 정희 씨 집도 김장했어요?

정희 아니요, 바빠서 아직 못 했어요.

어휘

01 [보기]에서 알맞은 어휘를 골라 빈칸에 쓰십시오.

[보기] 육류　　생선류　　곡류　　유기농 식품　　인스턴트 식품　　발효 식품

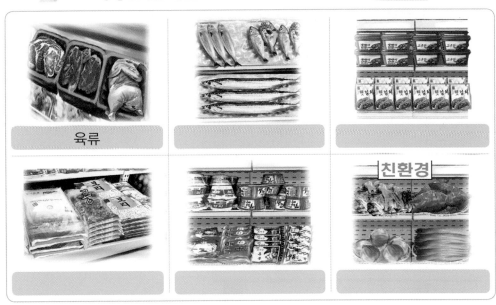

육류		

02 빈칸에 알맞은 어휘를 쓰십시오.

1) 된장과 요구르트 같은 　발효 식품　 은/는 건강에 좋은 것으로 알려져 있다.

2) 한국 사람들은 옛날부터 쌀이나 보리 같은 _____ 을/를 많이 먹었다.

3) 바쁜 생활을 하는 사람들은 시간이 없을 때 간단하게 _____ 을/를 먹기도 한다.

4) 바다 근처에 사는 사람들은 _____ 을/를 많이 먹어서 그런지 오래 산다고 한다.

5) 서양 사람들은 동양 사람들에 비해서 소고기와 돼지고기 같은 _____ 을/를 많이 먹는 편이다.

문법 연습

01

이라든가/라든가

다음 그림을 보고 대화를 완성하십시오.

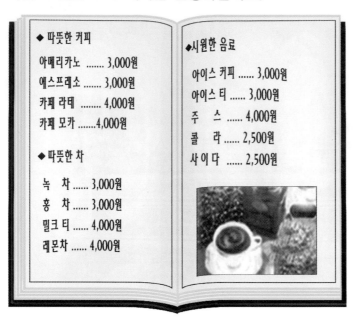

리에　　：날씨가 덥네요. 뭘 마실까?

마리아　：　<u>아이스 티</u>　<s>이라든가</s>/라든가　<u>콜라</u>　같은 시원한 음료수가 어때?

웨이　　：난 감기에 걸렸나 봐. 목이 좀 아파.

리에　　：그럼 _____

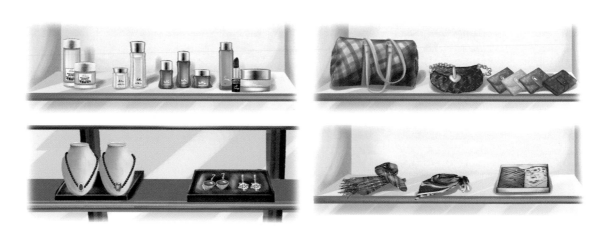

리에 : 마리아 씨 생일 선물을 사려고 하는데, 뭐가 좋을까요?

정희 : _____ 이라든가/라든가 _____ 처럼 오래 쓸 수 있는 물건이 어때요?

　　　 저는 어머니께 선물을 사 드리려고 하는데, 뭐가 좋을까요?

리에 : 어머니께 드리는 선물은 _____ 이/가

　　　 좋을 것 같아요.

02 **–는다고/ㄴ다고/다고 하던데**

다음 신문 기사를 읽고 대화를 완성하십시오.

감기에 걸렸을 때는

1. 약을 먹는 것보다는 쉬는 것이 좋아

2. 비타민 C가 많은 유자나 레몬이 좋아

3. 심한 운동은 나빠

4. 기침할 때는 배와 꿀을 먹어야

웨이 : 정희 씨 어디 아파요?

정희 : 감기에 걸렸어요. 약을 먹었는데도 낫지 않아요.

웨이 : 감기에 걸렸을 때는 약을 먹는 것도 좋지만 <u>쉬는 것이 가장 좋다고</u> <s>는다고/ㄴ다고/다고</s> 하던데 좀 쉬세요.

정희 : 네, 좀 쉬어야겠어요. 우리 같이 커피나 한잔 할까요?

웨이 : 감기에는 커피보다 _____ 는다고/ㄴ다고/다고 하던데 유자차 나 레몬차를 드세요.

정희 : 그럼 레몬차를 마셔야겠어요. 오늘 오후에는 친구하고 테니스를 치기로 했는 데 감기가 더 심해질 것 같아서 걱정이에요.

웨이 : 테니스요? _____ 는다고/ㄴ다고/다고 하던데 너무 힘든 운동은 하지 않는 게 좋을 것 같아요.

정희 : 그래요? 기침도 많이 하는데 뭐 좋은 방법 없을까요?

웨이 : _____ 는다고/ㄴ다고/다고 하던데 한번 드셔 보세요.

정희 : 와, 웨이 씨는 정말 아는 것도 많네요.

과제 1   말하기

음식 중에는 건강에 좋은 음식과 그렇지 않은 음식이 있습니다. 다음의 어휘 중에서 적당한 어휘를 골라 알맞은 곳에 넣고 [보기]와 같이 말해 봅시다.

된장	햄버거	탄산음료	인삼
콩	술	김치	두부
커피	요구르트	채소	과일
감자튀김	녹차	설탕	

건강에 좋은 음식

된장   김치

술

건강에 나쁜 음식

햄버거

[보기] 건강에 좋은 음식에는 **된장이라든가** 김치 같은 음식이 있어요.

건강에 좋은 음식에는
_____

건강에 나쁜 음식에는
_____

건강에 좋을 수도 있고 나쁠 수도 있는 음식에는
_____

_____

탄산음료 soda

과제 2 듣고 말하기 [CD1:30]

01 대화를 듣고 질문에 답하십시오.

1) 건강한 식습관을 위해 남자가 말한 세 가지 방법은 무엇인지 쓰십시오.

❶ ....

❷ ....

❸ ....

2) 다음 중 건강에 좋은 식품은 어느 것입니까? (　　　　)

❶ 소금　　　　　❷ 백설탕　　　　　❸ 화학조미료　　　　　❹ 꿀

3) 들은 내용과 같으면 ○ 다르면 X표시를 하십시오.

❶ 흰 쌀은 적게 먹는 것이 좋다. ( )

❷ 음식을 많이 먹어도 많이 씹으면 건강에는 문제가 없다. ( )

❸ 음식을 많이 씹으면 소화가 잘 되기 때문에 건강에 좋다. ( )

❹ 입에 맞는 음식을 한 가지 선택하여 계속 먹는 것이 건강에 좋다. ( )

02 여러분의 나라나 한국에서 사람들이 건강을 위해 먹는 음식을 조사하여 다음 표를 채우고 발표해 봅시다.

음식 이름	삼계탕	
재료	닭, 인삼, 대추, 밤, 찹쌀	
맛	담백하다. 맵지 않지만 뜨겁다.	
먹는 방법	먼저 고기를 소금에 찍어 먹고 닭의 뱃속에 들어 있는 찹쌀과 국물을 섞어서 떠 먹는다.	
건강에 좋은 이유	인삼과 여러 가지 몸에 좋은 재료가 들어 있어서 건강에 좋다.	
먹는 계절/때	여름철에 땀을 많이 흘릴 때 몸을 보호하기 위해 먹는다.	
기타	식당에서 사 먹으면 보통 한 그릇에 8,000원 정도이다.	

식습관 eating habits　　**화학조미료** monosodium glutamate(MSG)　　**꿀** honey　　**씹다** to chew　　**골고루** equally

YONSEI KOREAN 3

Dialogue

Wei	I think making Korean food is a little complicated.
Jeonghee	That's right. Even Kimchi that we eat everyday is food that requires a lot of time and effort.
Wei	Even though it takes a lot to make, it is often said that Kimchi is good for our health.
Jeonghee	That's right. Food like Kimchi or bean paste is representative for healthy food.
Wei	I've heard that it is now the season to make Kimchi. Has your family made Kimchi yet, Jeonghee?
Jeonghee	No, we haven't yet because we have been busy.

문법 설명

01 이라든가/라든가

It is used to list examples. After the listed examples, an overall explanation is followed. After nouns ending with a consonant, ‘이라든가’ is used and after nouns with a vowel-ending ‘라든가’ is used.

● 야채라든가 과일 같은 것을 많이 드세요.	Please eat a lot something like vegetables or fruits.
● 저는 소설이라든가 수필같은 가벼운 책이 좋아요.	I like light books such as novels or essays.
● 녹차라든가 인삼차 같은 따뜻한 차를 마시고 싶어요.	I would like to drink hot drinks such as green tea or ginseng tea.
● 병문안을 갈 때는 과일이라든가 음료수 같은 것을 사 가지고 가세요.	When you visit somebody in a hospital, take something such as fruits or drinks.
● 딸기라든가 사과같은 과일 종류를 많이 먹으면 좋대요.	I heard that it is good to eat fruits such as strawberries or apples.

02 –는다고/ㄴ다고/다고 하던데

It is used to confirm a statement heard from a third party or to give a suggestion or advice based on the statement. At the end of the sentence, a question form, a command form or prepositive form is followed. It is attached to verb stems.

In case of an action verb, if the verb ends with a consonant '–는다고 하던데' is used and if it ends with a vowel '–ㄴ다고 하던데' is used. After a descriptive verb, '다고 하던데' is followed and after a noun '–이라고 하던데' is used.

For the already finished action, '–었다고 하던데' is used. In case of conveying a question '–냐고 하던데' should be used, and in cases of orders or instructions '–으라고 하던데' is used. When one conveys a suggestion '–자고 하던데' is used.

• 적게 먹는 것이 건강에 좋다고 하던데 선생님은 어떻게 생각하세요?	I heard it is healthy to eat small portions, what do you think about that, teacher?
• 한국 회사원은 밤늦게까지 일을 해야 한다고 하던데 사실이에요?	I heard that employees in Korean companies have to work until late in the night, is that true?
• 경주에 볼거리가 많다고 히던데 그리로 여행 갑시다.	I heard there are many things to see in Gyeungju, so let's go travelling there.
• 민철이가 이번 주말에 여행을 같이 가자고 하던데 영수 씨도 같이 갈 수 있어요?	Mincheol has asked us to travel together this weekend, can you join us, Yeongsu?

04 과식을 안 하는 것도 중요하답니다

학습 목표 ● 과제 건강을 위한 생활 습관 조사하기 ● 문법 —는다고 보다 —는답니다 ● 어휘 생활 습관 관련 어휘

두 사람은 무엇에 대해서 이야기하는 것 같습니까?
여러분은 몇 살까지 살고 싶습니까?

CD1:31~32

제임스   선생님께서는 장수의 비결이 무엇이라고 생각하세요?

의사   글쎄요. 저는 정해진 시간에 식사를 하는 것이 무엇보다도
          중요하다고 봅니다.

제임스   그렇군요. 식사량도 중요하겠지요?

의사   물론이지요. 과식을 안 하는 것도 아주 중요하답니다.

제임스   그런데 장수하는 사람들이 특별히 좋아하는 음식이 있나요?

의사   장수 마을 노인들은 된장찌개와 삶은 돼지고기를 좋아한다고
          들었습니다.

장수
longevity

비결
a secret

정하다
to decide

식사량
amount of
food

중요하다
to be
important

어휘

01 [보기]에서 알맞은 어휘를 골라 빈칸에 넣으십시오.

[보기] 과식   소식   편식   채식   육식
규칙적이다   불규칙하다
하루에 1시간 정도 운동을 한다   운동을 전혀 하지 않는다

식습관

소식				

수면 습관

운동 습관

02 다음 중에서 여러분과 관계된 것에 체크해 보십시오.

식습관	☐ 과식을 한다.
	☐ 소식을 한다.
	☐ 편식을 한다.
	☐ 야식을 자주 먹는다.
	☐ 육식을 좋아한다.
	☐ 식사를 천천히 한다.
	☐ ....
수면 습관	☐ 규칙적으로 일정한 시간에 잔다.
	☐ 자는 시간이 불규칙하다.
	☐ 하루에 7시간 정도 잔다.
	☐ 하루 수면 시간이 7시간이 넘는다.
	☐ ....
운동 습관	☐ 하루에 1시간 정도 운동을 한다.
	☐ 운동을 전혀 하지 않는다.
	☐ 일주일에 세 번 정도 30분 정도 운동을 한다.
	☐ ....
건강을 위한 다른 습관	☐ 명상
	☐ 영양제를 복용한다.
	☐ ....

문법 연습

01

–는다고/ㄴ다고/다고/이라고 보다

다음에 대해 여러분의 생각을 표에 쓰십시오.

	여러분의 생각
수업을 한 시간 일찍 시작한다.	하루를 일찍 시작해 시간을 효과적으로 활용할 수 있다고 본다.
시험이 없다.	
학교 안에 흡연실을 만든다.	

–는답니다/ㄴ답니다/답니다/이랍니다

02 다음 편지의 밑줄 친 부분을 [보기]와 같이 '–는답니다'를 써서 고치십시오.

웨이 씨에게

웨이 씨, 안녕하셨어요?

저는 작년 가을에 같은 반에서 공부한 마이클입니다.

웨이 씨가 걱정해 주신 덕분에 저는 봄에 연세대학교에 1) <u>입학했습니다.</u> 대학생이 되니까 할 일도 많고 하고 싶은 일도 많아서 요즘 저는 정신없이 2) <u>지내고 있습니다.</u> 한국 친구들과는 재미있게 지내고 있지만, 한국말이 서툴러서 수업을 따라가기가 많이 힘듭니다. 이렇게 힘이 들 때는 어학당 선생님과 친구들 3) <u>생각이 많이 납니다.</u> 정말 보고 싶습니다.

다음 주 월요일이 4) <u>스승의 날입니다.</u> 알고 계시지요? 같은 반 친구였던 리에 씨, 제임스 씨, 마리아 씨하고 같이 선생님을 찾아 뵈려고 합니다. 웨이 씨도 바쁘지 않으시면 같이 점심 식사를 하는 게 어떨까요? 연락 주세요.

다시 만날 때까지 안녕히 계세요.

5월 10일

마이클 드림

[보기] 1) 입학했습니다.　　　→　　입학했답니다.

　　　2) 지내고 있습니다.　　→　　_____

　　　3) 생각이 많이 납니다.　→　　_____

　　　4) 스승의 날입니다.　　→　　_____

여러분이 알고 있는 민간요법을 다음 표에 정리해 보고, [보기]와 같이 말해 봅시다.

증상		
목이 아플 때	코피가 날 때	술이 깨지 않을 때
소금물로 양치한다.		

[보기]

　　한국 사람들은 목이 붓고 아프면 소금물로 양치를 **한답니다.** 보통은 자기 전에 미지근한 소금물로 양치를 합니다. 소금을 프라이팬에 볶아서 소금물을 만들고, 그 소금물을 차게 식혀서 양치를 하면 더 좋다고 합니다. 저는 두 방법을 다 써 봤는데 병원에서 주는 약보다 효과가 **좋았답니다.** 어쨌든 저는 소금물 양치가 목이 부었을 때는 제일 빠르고 좋은 **방법이라고 봅니다.**

민간요법 a folk remedy   **양치하다** to brush one's tooth   **미지근하다** to be lukewarm   **효과** effect

01　다음을 읽고 질문에 답하십시오.

가)　저녁이 되면 우리 몸은 피로해진다. 이러한 피로를 간단히 푸는 방법이 있다. 먼저 팔을 옆으로 벌리고 다리를 쭉 펴고 바닥에 눕는다. 그런 다음 천천히 발이 머리 위로 오게 다리를 올렸다가 다시 바닥으로 내린다. 이것을 다섯 번만 하면 몸이 가벼워지면서 피로가 거짓말처럼 풀린다.

나)　밤에 잠을 잘 자려면 해가 진 뒤 20~30분 정도 자전거 타기나 산책 등으로 몸을 조금 피곤하게 하는 것이 좋다. 그러나 잠자기 5시간 전에 심한 운동을 하면 몸이 긴장 상태가 되어 잠이 잘 오지 않는다. 그러므로 오후 7시 이후에는 가벼운 운동이 적당하다.

다)　아주 가벼운 운동이라도 오랫동안 규칙적으로 하면 체중을 줄일 수 있는 것으로 밝혀졌다. 텔레비전을 보다가 광고 시간에 방 안을 걷거나 계단을 걸어서 올라가고 내려가는 가벼운 운동을 오랫동안 계속하면 체중이 줄어든다고 한다. 또 주차할 때 입구에서 가장 먼 곳에 차를 세우고 걸어가는 것도 오랫동안 계속하면 효과가 있는 것으로 나타났다.

1) 위의 세 가지 이야기에서 공통적으로 주장하는 것은 무엇입니까? (　　　　　)

❶ 가벼운 운동의 효과　　　　　　　　❷ 운동과 다이어트

❸ 가벼운 운동과 강렬한 운동의 차이　　❹ 운동하기에 적절한 시간

2) 각각의 이야기의 제목을 만들어 보십시오.

가) ....

나) ....

다) ....

02 건강을 위해 여러분이 하는 운동을 [보기]와 같이 말해 봅시다.

[보기]

저는 시간이 있을 때마다 가볍게 몸을 움직입니다. 의자에 앉아서 몸을 왼쪽 또는 오른쪽으로 돌려 의자의 뒤쪽을 잡습니다. 눈은 돌린 쪽 어깨 너머를 바라보면서 몸을 더 돌립니다. 시원하게 느껴지는 방향은 여러 번 반복합니다. 이렇게 하면 딱딱 해진 근육이 풀립니다.

눕다 to lie down   **올리다** to raise up   **긴장** tension   **입구** entrance

Dialogue

James What do you think is the secret of longevity?

Doctor Well, more than anything else, I think eating regular meals is the most important thing.

James I see. The amount of food you eat would also be important, wouldn't it?

Doctor Of course. They say that not overeating is also very important.

James By the way, are there any foods that the old people who live a long life especially like?

Doctor I heard that the elders of a long-lived village like bean paste soup and broiled pork.

문법 설명

01 −는다고/ㄴ다고/다고/이라고 보다

It is used to express one's opinion about an important issue or problem. It underlines the statement 'I am thinking this way' or 'I feel that way.'. It is attached to verb stems. In case of an action verb, if the verb ends with consonants '−는다고 보다' is used and if the verb ends with vowels '−ㄴ다고 보다' is used. After a descriptive verb, '다고 보다' is used and after nouns '−(이)라고 보다' is used. When one heard about the already finished action and conveys the fact, '−었다고 보다' is used.

- 그 점은 별로 문제될 게 없다고 본다.   I feel this won't be a problem.

- 우리가 가장 먼저 해결해야 할 것도 환경 문제라고 본다.   I think the first thing we have to solve is the environmental problem.

- 청소년 문제에는 부모님의 관심이 가장 필요하다고 본다.

  In the problem of adolescents, I feel that parents' interest is most necessary.

- 전문가들은 환율이 앞으로 더 내릴 거라고 보고 있다.

  Experts are predicting that the exchange rate will drop from here onwards.

02 -는답니다/ㄴ답니다/답니다/이랍니다

This ending is applied when the speaker knows something which he/she assumes that the opposite conversation partners don't. In case of an action verb, if the verb ends with consonants '-는답니다' is used and if the verb ends with vowels '-ㄴ답니다' is used. After a descriptive verb, '답니다' is used and after nouns '-(이)랍니다' is used. When one talks about an ended action '-었답니다' is used.

- 형님, 어머님 걱정은 마십시오. 어머님은 건강하시답니다.

  Brother, don't worry about our mother's health. She is healthy.

- 옛날 옛날 공주와 결혼하려는 어느 왕자가 있었답니다.

  Once upon a time there was a prince who wanted to get married to a princess.

- 요즘 저는 직장생활을 하느라 친구들 만날 틈이 없었답니다.

  Nowadays, I have been so busy with work that I had no time to meet my friends.

- 저는 처음 그를 만났을 때부터 좋아했답니다.

  I liked him since I have met him for the first time.

- 우리가 지리산과 한라산을 다 구경 하는 데 꼬박 3개월이 걸렸답니다.

  It took us up to 3 months to visit both Jiri and Hanra Mountain.

'-는답니다/ㄴ답니다/답니다' is an abbreviation form of '-는다고 합니다/ㄴ다고 합니다/다고 합니다'.

- 뉴스에서 들으니까 물가가 많이 올랐답니다.

  I heard from the news that living cost went up.

- 친구한테 들었는데 민철이가 미국에 갔답니다.

  I heard from my friend that Mincheol is going to the US.

05 정리해 봅시다

01 다음 표에 건강에 좋은 것과 나쁜 것을 골라 쓰십시오. 그리고 여러분들이 알고 있는 것도 써 봅시다.

규칙적인 생활　　운동　　채식　　건강식　　발효 식품　　스트레스　　과로
인스턴트 음식　　튀긴 음식　　삶은 음식　　편식　　과식　　소식　　과음　　흡연

건강에 좋은 것	건강에 나쁜 것

02 다음 표현을 사용하여 이야기를 완성하십시오.

-어야　　-는다면　　-어야지요　　-는다고 하던데　　-는다고 보다　　-는답니다

건강하게 살려면 무엇보다도 운동을 _____. 운동을 할 시간이 없으면 가까
　　　　　　　　　　　　　　　　　(하다)
운 거리는 차를 타지 않고 걷는 것도 좋은 방법입니다. 걷기도 아주 좋은 운동이니
까요. 그리고 아침은 꼭 _____ 건강하게 오래 살 수 있습니다. 아침에 요리하
　　　　　　　　(먹다)
는 것이 힘들면 과일이라든가 우유 같이 간단하게 먹을 수 있는 음식을 드세요. 저
는 라면이나 패스트푸드를 자주 먹는 것은 _____. 대부분 기름이 많은 음
　　　　　　　　　　　　　　　　　　(좋지 않다)
식이니까요. 혼자 사는 사람들은 생활이 불규칙해지기가 _____ 조금만 노력
　　　　　　　　　　　　　　　　　　　(쉽다)
하면 건강한 생활을 할 수 _____.
　　　　　　　　　　　(있다)

03 여러분의 생활 습관 중에 좋은 점과 나쁜 점을 표에 써 봅시다.

내 생활의 좋은 점	내 생활의 나쁜 점

여러분이 더 건강한 생활을 하려면 여러분의 생활을 어떻게 바꿔야 합니까? 건강하
게 사는 방법에 대해 이야기해 봅시다.

한국인의 건강식 [CD1:33]

　　건강식이란 건강을 유지하거나 회복하기 위하여 만든 음식을 말합니다. 한국에서도 지방마다 혹은 가정마다 특별한 건강식이 있습니다. 예를 들어 더운 여름날 기운이 없을 때 한국 사람들은 삼계탕을 먹습니다. 삼계탕은 몸에 좋은 인삼, 찹쌀, 대추, 밤 등을 닭과 함께 끓여 만든 음식입니다. 또 콩이 몸에 좋다는 것은 잘 알려져 있는데, 한국인은 콩으로 만든 된장이나 청국장을 찌개로 만들어 자주 먹습니다. 그리고, 한국인이 즐겨 먹는 비빔밥은 별다른 반찬 없이도 한 끼의 식사로 맛있게 먹을 수 있는 요리입니다. 비빔밥에는 다양한 나물과 고기 등이 들어 있어서 영양면에서도 매우 좋다고 합니다. 한국에는 이 밖에도 다양한 건강식이 있습니다. 이러한 음식들은 옛부터 한국 사람들이 매일 먹어 왔던 음식들입니다. 여러분도 오늘 저녁에 건강에 좋은 이런 음식들을 한번 드셔 보세요.

삼계탕

비빔밥

청국장

1. 한국인이 즐겨 먹는 음식에 대해 이야기해 봅시다.

2. 여러분 나라에서 건강식으로 먹는 음식은 어떤 것이 있는지 이야기해 봅시다.

회복하다 to recover　　**기운** energy　　**영양** nutrition

제4과 공연과 감상

● 문화
사물놀이

01 표를 사는 대신에 저녁을 사 주세요

학습 목표 ● 과제 공연 안내하기 ● 문법 만 못하다, -는 대신에 ● 어휘 공연 관련 어휘

두 사람은 무엇에 대해 이야기하고 있습니까?
여러분은 한국에서 공연을 본 적이 있습니까?

뮤지컬
musical

감동적이다
to be
emotionally
touching

무대
stage

의상
costume

**말할 것도
없다**
no doubt

공연
performance

자막
subtitles

CD1:34-35

제임스 리에 씨, 뮤지컬 춘향전이 아주 감동적이라고 하던데 보셨어요?

리에 아니요, 못 봤어요. 그렇지 않아도 한번 보고 싶었어요.

제임스 그럼 같이 갈까요? 보고 온 친구가 그러는데 무대와 의상이 아주 아름
답대요. 노래와 춤은 말할 것도 없고요.

리에 한국말로 하는 공연인데 제가 이해할 수 있을까요?

제임스 일본어로 듣는 것만 못하겠지만 자막이 있으니까 이해할 수는 있을 거
예요.

리에 그럼 제가 예매할게요. 제가 표를 사는 대신에 제임스 씨가 저녁을 사
주세요.

어휘

01 다음은 공연 포스터입니다. [보기]에서 알맞은 어휘를 골라 빈칸에 쓰십시오.

[보기]   작품명   관람 연령   공연 장소   공연 일시   작품 해설

작품명

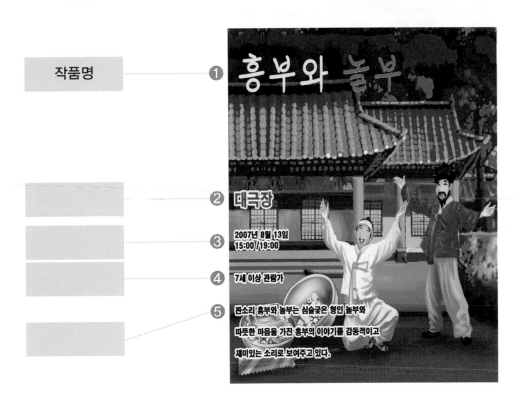

02 관계있는 것끼리 연결하십시오.

공연 장소   작품명   공연 일시

문법 연습

01 다음 그림을 보고 대화를 완성하십시오.

영수 : 정희 씨, 이사간 집은 어때요?

정희 : 회사에서 가깝기는 한데 새로 이사간
집이 이전 집만 못해요.

리에　 : 마리아 씨는 듣기 성적이 좋네요.
쓰기는 어때요?

마리아 : ....

....

웨이　　제임스

미선　 : 제임스 씨, 농구를 자주 하는 것 같은데
농구 잘 해요?

제임스 : ....

....

정희 : 여기 음식 맛있지요?

웨이 : 맛있기는 한데 ....

....

–는 대신에

02 표를 채우고 다음과 같이 쓰십시오.

	내가 다른 사람을 위해 하는 일	그 사람이 나에게 해 주는 일
1)	동생 숙제를 도와주었다	동생이 내게 아이스크림을 사 주기로 했다
2)	내가 친구에게 점심을 사 주었다	친구가 나에게 영화를 보여 주기로 했다
3)		친구는 우리 집 대청소를 도와주기로 했다
4)		

1) 내가 동생 숙제를 도와주는 대신에 동생은 나한테 아이스크림을 사 주기로 했다.

2) _____

3) _____

4) _____

과제 1 | 말하기

다음 표를 보고 [보기]와 같이 뮤지컬 '인어 공주'와 연극 '인어 공주'를 비교해서 이야기해 봅시다.

	뮤지컬 '인어 공주'	연극 '인어 공주'
내용	원래 동화와 같다.	원래 동화 내용과 비슷하지만 마지막에 인어 공주가 사랑을 이룬다.
특징	화려한 의상과 무대, 노래, 춤	아름다운 대사
장소	500석 대극장	50석 소극장
가격	5만원~15만원	2만원~4만원

[보기]

가 : 뮤지컬 '인어 공주'와 연극 '인어 공주'가 재미있다고 하던데 어느 것이 더 좋을까요?

나 : 글쎄요, 둘 다 장점이 있지만 저는 ＿＿＿＿＿이/가 ＿＿＿＿＿**만 못할 것 같아요.**

가 : 왜요?

나 : 여러 가지 이유가 있는데요. 제 생각에는 ＿＿＿＿＿

＿＿＿＿＿

＿＿＿＿＿

비슷하다 to be similar　**특징** characteristic　**화려하다** to be fancy

과제 2 듣고 쓰기 [CD1:36] ●

01 이야기를 듣고 질문에 답하십시오.

1) 이 사람은 왜 전화를 했습니까? 쓰십시오.

2) 들은 내용과 같은 것에 ○ 다른 것에 ×표시를 하십시오.

❶ 여자가 공연하는 것은 오페라이다. ( )
❷ 여자는 이 공연에서 주인공 역을 맡았다. ( )
❸ 여자는 공연하는 날 친구를 기다릴 것이다. ( )
❹ 여자는 공연에 관객이 아주 많을 거라고 생각하고 있다. ( )

3) 들은 내용과 같은 것을 고르십시오. ( )

❶ 공연 시간은 오후 6시이다.
❷ 공연 제목은 아가씨와 미녀들이다.
❸ 학생들에게 이 공연을 많이 알렸다.
❹ 여자는 미라가 많은 친구들을 데려 오기를 바란다.

02 여러분은 다음 공연들 중 어느 것을 좋아하는지 [보기]와 같이 써 봅시다.

연극   오페라   뮤지컬   콘서트   인형극   판소리   기타 ....

[보기]

　나는 오페라 보는 것을 좋아한다. 오페라는 아름다운 음악과 노래를 들을 수 있고, 의상과 무대도 화려해서 볼 것도 많기 때문이다. 나는 슬픈 사랑 이야기를 좋아하는데 오페라는 슬프고 감동적인 사랑 이야기가 많이 나와서 좋다.

관객 audience   **알리다** to inform

Dialogue

James Rie, I've heard that the musical 'Chunhyang-jeon' is very touching. Have you seen it?

Rie No, not yet. I also wanted to see it.

James Then, shall we go together? A friend of mine who has seen it told me that the stage scene and the costumes are beautiful. Not to mention the songs and the dances.

Rie The performance is all in Korean. Do you think it will be ok for me to understand?

James It is not going to be as easy as understanding it in Japanese, but you might understand it because there are subtitles.

Rie Then I'll buy the tickets in advance. I'll buy the tickets, instead, you buy dinner.

문법 설명

01 만 못하다

This ending is used when the first thing in the sentence is not as good as the last thing.

- 가 : 웨이 씨는 테니스를 잘 치던 데 마리아 씨도 테니스를 잘 쳐요?

  A : Wei plays tennis well, is Maria also good in tennis?.

  나 : 테니스는 마리아 씨가 웨이 씨만 못해요.

  B : Maria doesn't play as well as Wei.

- 가 : 새로 산 핸드폰 어때요?
  나 : 괜찮은데 디자인이 옛날 핸드폰
    만 못해요.
- 가 : 전자 사전을 사려고 하는데
    인터넷으로 사도 괜찮을까요?
  나 : 직접 보고 고르는 것만 못하겠
    지만 괜찮을 거예요.
- 가 : 건조기로 빨래를 말리니까
    어때요?
  나 : 잘 마르지만 그래도 햇볕에
    말리는 것만 못한 것 같아요.

A : How is your new phone?
B : It's ok, but the design is not as pretty as the old phone.
A : I intend to buy an electronic dictionary, so is it ok if I buy it on the internet?
B : It will be ok even though it is not as good as seeing the item yourself and choosing it.
A : How is it to dry the laundry with the drying machine?
B : It dries fairly good, but it's not as good as drying it in the sun.

02 -는 대신에

It is used when another action was compensated or replaced instead of doing the first action. It is attached to an action verb stem.

- 미선 씨가 편지 쓰는 것을 도와주는 대신에 내가 점심을 사기로 했다.
- 우리는 다른 회사보다 일을 많이 하는 대신에 월급도 많이 받는다.
- 일을 일찍 시작하는 대신에 일찍 끝낼 수 있다.
- 나는 대답을 하는 대신에 창문쪽으로 고개를 돌렸다.
- 어머니는 우리를 야단치는 대신에 집안 청소를 시키셨다.

Instead of helping Miseon to write a letter, I decided to buy lunch.
Compared to other companies, instead of working more, we receive a higher salary.
Instead of starting work early, we can finish work early.
Instead of answering, I turned my head towards the window.
Instead of telling us off, my mother made us clean the house.

02 춘향전을 보자고 해서 예매하려고요

학습 목표 ● 과제 공연 예매하기 ● 문법 −는다고 해서, −고서 ● 어휘 예매 관련 어휘

무슨 이야기를 하는 것 같습니까?
여러분은 한국에서 예매를 해 본 적이 있습니까?

좌석
seat

인터넷 사이트
the Internet site

가입하다
to join

선택하다
to choose

간단하다
to be simple

알려 주다
to inform

🔊 CD1:37~38

미선 리에 씨, 뭐 하세요?

리에 제임스 씨가 국립극장에서 하는 '춘향전'을 보자고 해서 전화로 예매하려고요. 그런데 쉽지가 않네요.

미선 인터넷 예매가 더 좋지 않아요? 앉고 싶은 좌석도 정할 수 있거든요.

리에 그게 좋겠군요. 국립극장 인터넷 사이트에서 할 수 있지요?

미선 네, 국립극장 회원이 아니면 먼저 회원 가입을 하고서 예매하고 싶은 공연을 선택하세요.

리에 번거로울 줄 알았는데 생각보다 간단하네요. 알려 줘서 고마워요.

어휘

01 관계가 있는 어휘를 골라 연결하십시오.

1) 예매하다 • • 약속 시간을 바꾸었어요.

2) 예약하다 • • 식당에 전화해서 가기로 약속했어요.

3) 확인하다 • • 돈을 돌려받았어요.

4) 취소하다 • • 물건을 주문했다가 사지 않기로 했어요.

5) 환불 받다 • • 미리 기차표를 샀어요.

6) 변경하다 • • 약속이 잘 되었는지 전화로 알아봤어요.

02 빈칸에 알맞은 어휘를 쓰십시오.

　　뮤지컬 공연을 보고 싶어서 어제 표를 1) 예매했어요 <del>었어요/았어요/였어요</del>. 그런데, 갑자기 일이 생겨서 갈 수 없게 됐어요. 그래서 취소하고 돈을 2) _____ 었어요/았어요/였어요.

　　친구들과 여행을 가기로 했어요. 비행기 표를 사려고 여행사에 전화를 걸어서 비행기 좌석을 3) _____ 었어요/았어요/였어요. 일정이 바뀌어서 비행기 시간을 4) _____ 었어요/았어요/였어요. 떠나기 전에 다시 한번 여행사에 예약을 5) _____ 었어요/았어요/였어요.

문법 연습

-는다고/ㄴ다고/다고 해서, -냐고 해서, -으라고/라고 해서, -자고 해서

01 다음 그림을 보고 문장을 만드십시오.

---

❶

수영하러 같이 가자.

미선 : 웨이 씨, 어제 뭐 했어요?

웨이 : 리에 씨가 <u>수영장에 같이 가자고 해서</u>
      다녀 왔어요.

---

❷

아이스크림 하나만 먹자.

민철 : 리에 씨, 어디 아파요?

리에 : 웨이 씨가 _____
      먹었는데 괜히 먹었나 봐요. 배가 아파요.

---

❸

감기에 걸렸어요.

민철 : 웨이 씨, 어디에 가세요?

웨이 : 리에 씨가 _____
      약 사러 가요.

---

❹

저 지금 공항에 가요.

제임스 : 리에 씨, 어제 민철 씨하고 어디에 다녀
        왔어요?

리에   : 민철 씨가 _____
        같이 공항에 다녀왔어요.

02

–고서

여러분의 생활을 '–고서'를 써서 이야기하십시오.

세수를 하다	• 학교 갈 준비를 해요. •
숙제를 끝내다	• •

1) 세수를 하고서 학교 갈 준비를 해요.

2)

3)

4)

과제 1 말하기

리에 씨가 인터넷 사이트에서 표를 예매하려고 합니다. 인터넷으로 처음 표를 예매하는 리에 씨를 도와 주십시오.

1) 다음 빈칸에 알맞은 어휘를 [보기]에서 찾아 쓰십시오.

[보기]

공연 날짜 · 시간 선택하기   공연 선택하기   회원 가입하기   좌석 정하기

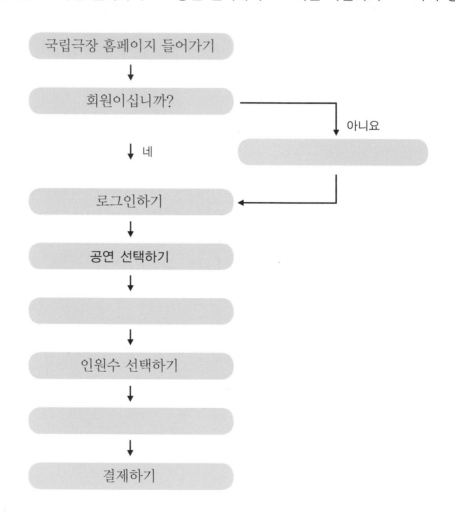

국립극장 홈페이지 들어가기

↓

회원이십니까? ──→ 아니요

↓ 네

로그인하기

↓

공연 선택하기

↓

↓

인원수 선택하기

↓

↓

결제하기

2) 위 그림의 순서대로 리에 씨에게 이야기해 봅시다.

먼저 국립극장 홈페이지에 들어가세요. 회원이 아니면 회원 가입을 **하고서**

인원수 the number of persons

01 다음을 읽고 질문에 답하십시오.

영화제 티켓 예매하기

부산 국제 영화제에 가 보고 싶으십니까? 그럼 표를 예매하셔야지요. 영화제 표 예매는 생각보다 쉽지 않습니다. 인터넷으로 예매를 하려면 서둘러야 합니다. 작년에는 5분도 되지 않아서 매진된 영화도 있었습니다. 다른 방법은 부산은행 현금 자동 인출기에서 예매하는 것입니다. 가장 편하고 빠르고 정확하지만 부산에 살지 않으면 어렵습니다. 세 번째 방법은 부산 국제 영화제 매표소를 이용하는 것입니다. 매표소는 서울, 부산, 수원, 대구에 있습니다. 네 번째로는 부산은행 폰뱅킹으로 예매하는 방법이 있습니다. 폰뱅킹은 한 번에 3개의 영화까지 예매가 가능하며 한 번에 2장씩 예매할 수 있습니다. 마지막으로 영화를 상영하는 당일에 예매하는 방법이 있습니다. 당일 예매는 그 날 상영하는 영화만 가능하며, 환불이나 교환은 불가능합니다.

1) 영화제 표를 예매하는 방법과 특징을 써 보십시오.

	예매하는 방법	특징
❶		
❷		
❸		
❹		
❺		

2) 다음 중 이 글의 내용과 **다른 것**을 고르십시오. (   )

❶ 대구에서도 부산 국제 영화제 매표소에서 예매를 할 수 있다.

❷ 폰뱅킹을 이용하여 영화표를 예매할 수 있다.

❸ 영화 당일에 극장에서 표를 살 수 없다.

❹ 인터넷으로 표를 살 수 있다.

3) 여러분은 어떤 방법으로 예매를 하시겠습니까? 그 이유는 무엇입니까?

02 여러분은 보통 어떤 방법으로 예매를 합니까? [보기]와 같이 이야기해 봅시다.

[보기] 저는 인터넷을 이용해서 예매를 합니다. 인터넷을 이용하면 표를 사려고 기다릴 필요가 없어서 좋습니다. 그래서 인터넷으로 마음에 드는 영화를 예매합니다.

매진되다 to be sold out   **폰뱅킹** phone banking   **당일** that day

Dialogue

Miseon	Rie, what are you doing?
Rie	James suggested watching 'Chunhyang-jeon' at the National Theater so I am about to buy the tickets in advance by phone.
Miseon	Don't you think buying the tickets on the Internet would be better? You can also select the seats where you want to sit.
Rie	That's a good idea! Can I do it on the National Theater website?
Miseon	Yes. If you are not a member, you join first, and then select the performance you want to see.
Rie	I thought it would be complicated but it seems much easier than I thought. Thank you for informing me.

문법 설명

01 –는다고/ㄴ다고/다고 해서, –냐고 해서, –으라고/라고 해서, –자고 해서

It is used when one hears a fact or truth and acts based on it. When one hears the fact and acts based on that fact '–는다고 해서' is used. When one hears a suggestion and acts based on it, '–자고 해서' is used. When one listens to the question and acts or answers, '–냐고 해서' is used. When one receives an instruction from another person and acts according to it, '–으라고 해서' is used.

• 주말에 비가 온다고 해서 집에 있기로 했다.	We decided to stay at home this weekend because we heard that it is going to rain.
• 미선 씨가 비빔밥을 먹자고 해서 우리 모두 비빔밥을 먹었다.	We all ate bibimbap because Miseon suggested eating it.

• 아버지가 다음 주에 여행을 가자고 해서 제주도에 가게 되었다.	We are going to Jeju Island because my father suggested traveling next week.
• 영수 씨가 함께 영화를 보지 않겠냐고 해서 함께 영화를 보았다.	We saw a movie because Yeongsu suggested it.
• 선생님이 일찍 오라고 해서 아침 8시에 학교에 왔다.	We came to school at 8 o' clock, because our teacher told us to come.

02 −고서

This expression is used when the action expressed in the first part of the sentence creates the result or situation expressed in the second part of the sentence. It is attached to a action verb stem.

• 5년 동안 기른 머리를 자르고서 후회를 했다.	I regret that I cut my hair which I grew for 5 years.
• 그 친구와 그렇게 헤어지고서 평생 마음이 안 좋았다.	It hurts a lifetime that I broke up with my friend in that way.
• 그 소식을 듣고서 기쁨의 눈물이 흘렀다.	I cried out of joy when I heard the news.
• 급하게 밥을 먹고서 체한 것 같다.	It looks like that I have my stomach upset because I ate too fast.

03 마지막 장면이 인상적이었어요

학습 목표 ● 과제 관람 소감 이야기하기 ● 문법 -을 뿐만 아니라 ● 어휘 공연 감상 관련 어휘
-어야지

두 사람은 무슨 공연을 본 것 같습니까?

여러분이 지금까지 본 공연 중에서 가장 좋았던 공연은 무엇입니까?

CD1:39~40

리에   오늘 공연 어땠어요?

제임스   감동적이었어요. 특히 남자 주인공의 목소리가 멋지지 않았어요?

리에   그래요, 목소리도 멋질 뿐만 아니라 연기도 훌륭했어요. 대사도
       재미있었고요.

제임스   리에 씨는 어느 장면이 제일 좋았어요?

리에   저는 두 주인공이 다시 만나는 마지막 장면이 제일 인상적이었어요.

제임스   저도요. 저는 이번이 한국에서 본 첫 공연인데 '다음에 좋은 공연이
       있으면 또 봐야지'하고 생각했어요.

목소리
voice

연기
acting

훌륭하다
to be
outstanding

대사
script
(dialogue)

마지막
the last

인상적이다
to be
impressive

01 [보기]에서 알맞은 어휘를 골라 빈칸에 쓰십시오.

[보기] 감동적이다   인상적이다   우울하다   환상적이다   심각하다   신나다

로미오와 줄리엣의 사랑 이야기를 연극으로 봤어요. 두 남녀의 사랑 이야기가 제 마음에 깊고 강한 느낌을 주었어요.	지난주에 친구와 같이 본 영화는 내용이 아주 무겁고 깊이가 있었어요.	어제 들은 가수의 노래는 아주 밝고 즐거운 느낌이 들었어요. 그래서 기분이 매우 좋아졌어요.
감동적이다		
지난번에 본 만화 영화는 현실에서는 이루어질 수 없는 어린이들의 꿈을 이루어 주는 내용이었어요.	그 뮤지컬의 마지막 장면을 봤을 때의 느낌은 오랫동안 지워지지 않고 뚜렷이 제 기억에 남았어요.	그 연극의 주제처럼 음악도 마음이 답답하고 어두운 느낌이 들었어요.

02 최근에 본 영화의 제목은 무엇입니까? 그 영화는 어땠습니까?
그 영화에서 가장 인상적인 장면은 무엇이었습니까?

문법 연습

01 ### -을/ㄹ 뿐만 아니라

다음 표를 채우고 [보기]와 같이 친구와 이야기하십시오.

학생 식당	싸다	맛있다	음식 값이 쌀 뿐만 아니라 맛있어요.
동대문 시장			
지금 사는 집			
우리 부모님			

[보기]

가 : 학생 식당 어때요?

나 : 음식 값이 쌀 뿐만 아니라 맛도 있어요.

02 ### -어야지/아야지/여야지

다음 이야기를 읽고 이 사람이 결심할 수 있는 내용을 쓰십시오.

　　어제 늦게까지 친구들과 술을 마셔서 오늘 아침에 늦게 일어났다. 학교에 도착하니까 9시 35분이었다. 선생님은 요즘 날마다 지각한다고 야단을 치셨다. 요즘 친구들과 매일 술을 마셔서 숙제도 제대로 못 하고, 지각하는 일이 많았다. 선생님께 죄송했다. 4교시에는 그동안 배운 단어로 단어 게임을 했다. 아는 단어보다 모르는 단어가 더 많았다. 날마다 학교에 오기는 왔는데 언제 배운 단어인지 통 기억이 안 났다. 나 때문에 우리 팀이 졌다. 친구들한테 미안했다.

1) 내일부터는 일찍 일어나야지.

2)

3)

4)

과제 1 말하기

다음 표의 빈칸을 채우고 [보기]와 같이 이야기해 봅시다.

	[보기]	나
인상적인 공연의 제목은 무엇입니까?	발레 '심청'	
그 공연의 좋은 점은 무엇입니까? (두 가지 이상)	• 아름다운 음악과 춤 • 환상적인 무대	• •
마음에 들지 않았던 점은 무엇입니까?	'심청' 이야기를 모르면 이해하기 어려울 수 있다.	

[보기]

가 : 요즘 재미있는 공연 있어?

나 : 난 얼마 전에 발레 '심청'을 봤는데 그 공연도 괜찮았어.

가 : 한국의 옛날 이야기 '효녀 심청' 말이야?

나 : 응, '효녀 심청'을 발레로 만든 거야. 정말 인상적인 공연이었어.
　　음악과 춤이 정말 **아름다울 뿐만 아니라** 무대도 환상적이었거든.

가 : 그래? 나도 보러 **가야지.**

나 : '효녀 심청' 이야기를 모르면 무슨 내용인지 모를 수 있으니까 먼저
　　이야기를 읽어 봐.

가 : 그래? 그래야겠다. 고마워.

과제 2 듣고 쓰기 [CD1:41]

01 대화를 듣고 질문에 답하십시오.

1) 이 사람들이 공연을 보고 느낀 점에 모두 표시하십시오.

☐ 신난다

☐ 무섭다

☐ 감동적이다

☐ 훌륭하다

☐ 우울하다

☐ 시끄럽다

2) 들은 내용과 같으면 ○ 다르면 X표시를 하십시오.

❶ 두 사람은 오늘 처음 만난 사이이다. (   )

❷ 두 사람은 공연을 즐겼다. (   )

❸ 공연의 마지막 장면이 슬펐다. (   )

❹ 여자는 공연을 보면서 노래를 따라 불렀다. (   )

3) 들은 내용과 같은 것을 고르십시오. (   )

❶ 이 공연에서는 특히 의상이 훌륭했다.

❷ 두 사람은 공연 내용을 이해하기 어려웠다.

❸ 이 사람들은 지금 맥주를 마시러 갈 것이다.

❹ 남자는 요즘 시험 공부로 스트레스가 많았다.

02 지금까지 보았던 공연 중의 하나를 골라 [보기]와 같이 감상문을 써 봅시다.

[보기]

뮤지컬 맘마미아를 보고

나는 오늘 뮤지컬 맘마미아를 보았다. 이 공연은 평범한 사람들의 사랑 이야기이다. 나는 무엇보다도 이야기의 내용에 맞게 나오는 '아바'의 노래들이 정말 인상적이었다. 그냥 음악으로만 듣던 '아바'의 노래를 이야기와 함께 들으니 더욱 더 많은 감동을 주었다. 배우들의 노래 실력도 정말 좋았다. 특히 여주인공의 마지막 노래는 영원히 잊을 수 없을 것 같다. 노래, 의상, 이야기, 그리고 배우들의 연기 모두가 아름답게 어울린 훌륭한 작품이었다.

백문이 불여일견 Seeing is believing (It is better to see one time than hearing hundred times)
평범하다 to be ordinary　　**영원히** forever

Dialogue

Rie	What was the performance like?
James	It was touching. Wasn't the main male character's acting especially good?
Rie	That's right. Not only was his singing voice great, but his acting was also outstanding. The dialogues were also very funny.
James	Rie, which scene did you like the most?
Rie	I was most impressed by the last scene where the two main characters met again.
James	Me, too. It was my first time to watch a performance in Korea. So I thought: 'If there are any good performances I should come again.'

문법 설명

01 –을/ㄹ 뿐만 아니라

It is used when another action or situation is added to the prior action or situation. After verbs with a consonant-ending '–을 뿐만 아니라' is used, after verbs with a vowel-ending '–ㄹ 뿐만 아니라' is used. In case that another situation is attached to an already finished situation '–었을 뿐만 아니라' is used.

- 리에 씨는 예쁠 뿐만 아니라 성격도 좋아서 친구들한테 인기가 좋다.

  Rie is popular among her friends because she is not only pretty but she also has a good character.

- 그 대학교는 입학하기도 어려울 뿐만 아니라 졸업하기도 어렵다.

  It is not only difficult to get the admission for that university, but it is also difficult to graduate.

- 기자가 되면 연예인들을 직접 만날 수 있을 뿐만 아니라 연예인들과 친해질 수도 있다.

  When you become a journalist, not only can you meet celebrities, but you can also become friends with them.

- 미선 씨는 귀걸이를 직접 만들 뿐만 아니라 인터넷으로 팔기까지 한다.

  Miseon not only makes earring by herself, but she also sells them on the Internet.

02 –어야지 / 아야지 / 여야지

It is used when the speaker talks about an intention which he/she wants to do as if she/he is talking to herself/himself. It is attached to verb stems. After verbs with vowel-endings other than '아, 야, 오', '–어야지' is used, after verbs with '아, 야, 오' the ending '–아야지' is used and after verbs with '하다' the ending '–어야지' is used. If one thinks that one shouldn't do the action, '–지 말아야지' is used.

- 이번 방학에는 제주도에 꼭 가야지.

  This summer I will go to Jeju Island for sure.

- 고향에 돌아가면 어머니가 해 주신 음식을 많이 먹어야지.

  When I go back to my hometown, I will eat the food made by my mother for sure.

- 올해는 담배를 꼭 끊어야지.

  I am going to quit smoking this year for sure.

- 내일 아침부터는 운동을 시작해야지.

  I am going to exercise from tomorrow morning.

- 앞으로 텔레비전 보는 시간을 줄여야지.

  I am going to reduce my TV time from now on.

04 정말 볼 만하던데요

학습 목표 ● 과제 공연 추천하기 ● 문법 −을 만하다, −을걸요 ● 어휘 추천 관련 어휘

두 사람은 무엇에 대해 이야기하고 있습니까?
다시 보고 싶은 공연이 있습니까?

사물놀이
samulnori

분위기
atmosphere

지루하다
to be boring

흥겹다
to be exciting
and fun

확
completely all
at once

인기
popularity

CD1:42~43

웨이 　재미있는 공연 좀 추천해 주세요. 주말에 친구하고 같이 보려고요.

마리아 　한국 전통 음악은 어때요? 사물놀이 공연이 정말 볼 만하던데요.

웨이 　전 한 번도 본 적이 없는데 한국 전통 음악이면 조용한 분위기인가요?

마리아 　아니에요, 저도 지루할 줄 알았는데 흥겹고 재미있었어요.
　　　　스트레스가 확 풀리던데요.

웨이 　그래요? 그럼 친구한테 물어보고 결정해야겠어요.

마리아 　그 공연은 인기가 많으니까 예매를 서둘러야 할걸요.

어휘

01 [보기]에서 알맞은 어휘를 골라 빈칸에 쓰십시오.

[보기] 추천하다 　　　 소개하다 　　　 안내하다 　　　 제안하다 　　　 권하다

차를 　**권하다**

사람을

길을

사람을

여행을 가자고

02 알맞은 어휘를 빈칸에 쓰십시오.

1) 이야기 도중에 그는 주제와 관련된 좋은 책들을 　추천해　 ~~어/아/여~~ 주었다.

2) 친구는 나를 반갑게 맞으면서 녹차를 　　　　　　 었다/았다/였다.

3) 그는 자기 친구들에게 나를 애인이라고 　　　　　　 었다/았다/였다.

4) 그 사람은 저녁 시간이 되자 나를 숙소로 　　　　　　 어/아/여 주었다.

5) 친구가 자기 회사에서 같이 일해 보자고 일자리를 　　　　　　 었다/았다/였다.

문법

01 **-을/ㄹ 만하다**

다른 사람에게 추천하고 싶은 것이 있을 때 어떻게 말합니까? 다음 표를 채우고 대화를 완성하십시오.

1)	방학에 친구와 같이 갈 만한 곳	부산, 제주도
2)	요즘 볼 만한 영화나 드라마	
3)	한가할 때 읽을 만한 책	
4)	심심할 때 들을 만한 음악	

1) 가 : 방학에 친구와 같이 놀러 가기로 했는데, 어디가 가 볼 만해요?

　　나 : 부산이나 제주도가 가 볼 만해요.

2) 가 : 요즘 볼 만한 영화나 드라마 있어요?

　　나 :

3) 가 : 읽을 만한 책 좀 추천해 주세요.

　　나 :

4) 가 : 요즘 무슨 노래가 들을 만해요?

　　나:

02 **-을걸요/ㄹ걸요**

리에 씨가 여러분이 살고 있는 하숙집으로 이사를 오기로 했습니다. 리에 씨의 질문에 대답하십시오.

리에 씨의 질문	대답
부엌에서 요리를 해도 돼요?	글쎄요, 잘 모르겠지만 아주머니께 말씀드리면 할 수 있을걸요.
저녁 식사 시간에 늦어도 저녁 식사를 할 수 있어요?	
친구를 데려와서 파티를 해도 괜찮아요?	
방 창문에 커튼이 없는데 제가 사야 하나요?	
아침에 일찍 일어나고 싶은데 아주머니가 깨워 주실 수 있을까요?	

과제 1 말하기

여러분이 지금까지 본 공연 중에 친구들에게 추천해 주고 싶은 공연이 있습니까?
다음 표를 채우고 [보기]와 같이 친구와 이야기해 보십시오.

	[보기]	내가 추천하는 공연
공연 제목	백조의 호수	
내용	사랑 이야기	
가격	A석 : 3만 원 S석 : 10만 원쯤	
장소	국립극장	
추천 이유	이야기가 감동적일 뿐만 아니라 춤이 아름답고 환상적이다. 꼭 한번 **볼 만하다.**	

가 : **볼 만한** 공연이 있으면 하나 추천해 주세요.

나 : **볼 만한** 공연이요? 지난 주말에 친구와 같이 '백조의 호수' 라는 발레 공연
을 봤는데 아주 좋던데요.

가 : '백조의 호수' 요? 어떤 내용인데요?

나 : 사랑 이야기예요.

가 : 그래요? 발레 공연은 비싸지 않아요?

나 : 좀 비싼 편이에요. 저는 3만 원짜리 A석에서 봤는데, S석은 10만 원쯤 **할
걸요.**

가 : 어디에서 하는데요?

나 : 국립극장에서 해요. 이야기가 감동적일 뿐만 아니라 춤도 정말 아름다워
요. 꼭 한번 보세요.

과제 2 읽고 말하기

01 다음을 읽고 질문에 답하십시오.

1) 뮤지컬 '지저스 크라이스트 슈퍼스타'

예수의 마지막 일주일 동안의 이야기를 노래한 뮤지컬입니다. 아름답고 감동적인 노래가 특징이지요. 예수를 사랑하는 마리아가 부르는 '내가 그 분을 어떻게 사랑해야 하나요'는 매우 유명한 노래입니다. 보시면 후회하지 않으실 거예요.

2) 웃음을 주는 뮤지컬 '캣츠'

이 작품은 고양이가 사람처럼 춤추고 노래하는 뮤지컬입니다. 음악과 춤 그리고 웃음을 주는 이야기가 아주 좋습니다. 아름다운 달빛 아래에서 고양이가 부르는 노래 '메모리'는 어른들이 따라 부를 정도로 유명하답니다. 아이와 함께 가셔도 좋습니다.

3) 식욕을 찾아 준 만화 영화 '라따뚜이'

'라따뚜이'는 파리에서 최고의 요리사를 꿈꾸는 작은 쥐가 성공하는 이야기 입니다. 자신감을 찾고 싶으신 분은 꼭 보셔야 할 영화입니다. 이 영화를 보고 나면 아주 간단한 음식도 정성이 들어가면 훌륭한 요리가 된다는 생각을 하시 게 될 겁니다. 안 보시면 후회하실 거예요.

4) 나도 모르게 춤을 추게 되는 '사물놀이' 공연

저는 지난 주말에 사물놀이 공연을 보고 왔습니다. 정말 신나는 공연이었습니다. 악기 소리에 맞춰 어깨를 흔드는 동안 공연 시간이 정말 빨리 지나갔습니다. 이 공연은 아마 잊지 못할 것입니다. 여러분도 한번 가 보세요.

1) 위의 공연은 어떤 공연입니까? 다음 빈칸을 채우십시오.

작품명	특징
❶	
❷	
❸	
❹	

2) 위의 공연 중에서 여러분은 어떤 공연을 보시겠습니까? 그 이유는 무엇입니까?

3) 위의 공연 중에서 연인들에게 어떤 공연을 추천하시겠습니까? 그 이유는 무엇입니까?

02 여러분이 감동적으로 본 공연을 [보기]와 같이 친구들에게 추천해 봅시다.

[보기]

　　제가 추천하고 싶은 공연은 사랑 이야기인 '백조의 호수'라는 발레 공연이에요. 저는 3만 원짜리 A석에서 봤는데 S석은 10만 원쯤 할 거예요. 매년 국립극장에서 하니까 올해도 국립극장에서 볼 수 있을 거예요. 이야기가 감동적일 뿐만 아니라 춤이 아름답고 환상적이에요. 정말 볼 만한 공연이에요. 아직 안 보셨다면 꼭 한번 보세요.

후회하다 to regret　　**정성** sincerity　　**흔들다** to shake

Dialogue

Wei	Can you recommend us a good performance? I want to see something with my friend this weekend.
Maria	I saw a samulnori performance sometime ago and it was vey good. It was really worth watching.
Wei	I've never seen it before. Is it a quiet atmosphere since it is Korean traditional music?
Maria	No. It was really exciting and fun. My stress was completely relieved all at once.
Wei	Really? I will ask my friend and then decide.
Maria	You'd better hurry and buy the tickets in advance because that performance is very popular.

문법 설명

01 −을/ㄹ 만하다

It is used when a certain action is acceptable or worthwhile. It is attached to verb stems.

- 가 : 새로 개봉한 영화가 재미 있다면서요?

  나 : 네, 정말 볼 만해요.

- 가 : 제주도는 어때요?

  나 : 정말 아름다워요. 한 번 가 볼 만해요.

- A : I heard that the new movie is really fun. Is it true?

  B : Yes, it is worth watching.

- A : How is Jeju Island like?

  B : It is really beautiful. It is worth going there once.

- 가 : 이 일을 누구에게 맡기면
  좋을까요?
- 나 : 미선 씨가 믿을 만하니까,
  미선 씨에게 맡기면 어때요?
- 가 : 그 책 재미있어요?
- 나 : 네, 읽을 만해요.

A : Who shall I ask to take care of this?

B : Miseon is reliable. How about asking
  her?

A : Is that book interesting?

B : Yes, it is worth reading.

02 -을걸요/ㄹ걸요

It is used when one assumes about a situation in the future or an unknown fact.
After verbs with a consonant-ending '-을걸요' is used and after verbs with a
vowel-ending '-ㄹ걸요' is used. If one assumes a situation which already ended
'-었을걸요' is used. '-을걸' is used for close friends or people who are younger in
age or lower in hierarchy.

- 가 : 미선 씨가 오늘 모임에 올까요?
- 나 : 아까 많이 아프다고 했으니까
  아마 못 올걸요.
- 가 : 주말에 극장에 가려고 하는데
  사람이 많을까요?

- 나 : 주말에는 사람이 많을걸요.
- 가 : 리에 씨, 마리아 씨가 지금
  어디에 있는지 알아요?
- 나 : 수업이 끝났으니까 집에
  갔을걸요.

- 가 : 비행기가 도착했을까?
- 나 : 지금쯤 도착했을걸요.

A : Will Miseon come to today's meeting?

B : She won't come most possibly,
  because she just said that she is sick.

A : I am planning to go to the movies
  this weekend. Do you think there will
  be many people?

B : There might be many people on weekends.

A : Rie, do you know where Maria is at
  the moment?

B : I guess she went home because her
  class is finished.

A : Do you think that the plane has arrived yet?

B : It might have arrived by now.

05 정리해 봅시다

01 여러분이 가장 최근에 본 영화나 공연은 무엇입니까? 다음 표에 해당하는 부분에 표시하고 그 공연이 어땠는지 연결해 보십시오.

종류	그 공연은 어땠습니까?
☐ 연극 ☐ 뮤지컬 ☐ 영화 ☐ 음악회 ☐ 인형극 ☐ 판소리 ☐ 기타	대사 • 무대 • 연기 • 의상 • 음악 • • 아름다웠다. • 재미있었다. • 흥겨웠다. • 신났다. • 감동적이었다. • 환상적이었다. • 우울했다. • 심각했다. • 지루했다.

02 다음 표현을 사용하여 대화를 완성하십시오.

| 만 못하다 | –는 대신에 | –는다고 해서 | –고서 |
| –을 뿐만 아니라 | –어야지 | –을 만하다 | –을걸요 |

미선 : 어제 텔레비전에서 한 그 영화 봤어요?

리에 : 아니요, 보고 싶었는데 못 봤어요. 어땠어요?

미선 : 좋았어요. 그렇지만 뮤지컬 1) _____ 은/ㄴ 것 같아요. 작년에 같이 본 그 뮤지컬은 내용도 2) _____ 배우들의 노래와 춤도 대단했잖아요.
                                      (좋았다)

리에 : 맞아요. 그 때 그 감동은 아마 평생 못 잊을 것 같아요.

미선 : 다음 달에 그 뮤지컬 공연이 또 있던데 같이 다시 보러 갈래요?

리에 : 좋아요. 3) _____ 은/ㄴ 공연이어서 다시 보고 싶었거든요.
               (보다)

    제가 4) _____ 전화할게요.
            (예매하다)

미선 : 그럼 리에 씨가 5) _____ 제가 저녁을 살게요.
                   (표를 사다)

03 한국에서 공연을 관람한 일이 있습니까? 있으면, 어떤 공연이었는지 친구들에게 이야기해 봅시다. 없으면, 한국에서 보고 싶은 공연은 어떤 것인지 이야기해 봅시다.

문화

사물놀이 [CD1:44]

　　사물놀이는 꽹과리, 장구, 북, 징 이 네 가지 한국 전통 악기를 가지고 연주하는 공연을 말합니다. 이는 마당에서 신나게 벌이던 풍물놀이를 현대에 맞게 극장 무대 위로 올려 발전시킨 것입니다. 풍물놀이는 전통적으로 마당과 같은 열린 공간에서 행해지며 놀이의 성격을 강하게 가진 데 비해 사물놀이는 좀 더 예술적인 연주의 성격이 강합니다. 풍물놀이에서는 관객이 함께 춤을 추며 참여하는데 사물놀이에서는 관객이 그 연주를 자신의 자리에 앉아 감상합니다. 사물놀이의 연주자는 보통 네 명을 기본으로 합니다. 이는 아주 빠른 가락을 치기 때문에 한 악기에 연주자가 한 명이 넘을 경우 가락이 맞지 않는 경우가 생길 수 있기 때문입니다.

꽹과리　　　　장구　　　　북　　　　징

사물놀이　　　　풍물놀이

1. 여러분은 사물놀이나 풍물놀이 공연에 가 본 일이 있습니까?

2. 여러분 나라에는 어떤 공연이 있습니까? 조사해서 발표해 봅시다.

전통 악기 traditional instruments　　**연주** a musical performance

제5과 사람

01 친구가 어제 뉴스에 나오던데요

학습 목표 ● 과제 친구 소개하기 ● 문법 −는 모양이다, −을 뿐이다 ● 어휘 능력 관련 어휘

두 사람은 무엇에 대해 이야기하고 있는 것 같습니까?
여러분 친구 중에 유명한 사람이 있습니까?

패션쇼
fashion show

평
review

실력
capability

인정을 받다
to receive
recognition

겨우
barely

CD1:45~46

리에 지난번에 이야기했던 미선 씨 친구가 어제 뉴스에 나오던데요.

미선 네, 프랑스 파리에서 패션쇼를 했는데 평이 좋은 모양이에요.

리에 한국에서도 유명했어요?

미선 실력을 인정받기는 했지만 그렇게 유명하지는 않았어요.

리에 요즘도 자주 만나세요?

미선 친구가 너무 바빠서 겨우 전화만 할 뿐이에요.

어휘

01 [보기]에서 알맞은 어휘를 골라 빈칸에 쓰십시오.

[보기] 유명하다 성공하다 인기가 좋다 능력이 뛰어나다 인정을 받다	그 패션 디자이너는 전 세계 사람들에게 알려져 있어요. 그의 이름을 모르는 사람은 거의 없을 거예요. **유명하다**	그 가수는 노래도 잘하고 춤도 멋지게 춰요. 남녀노소 모두 그를 좋아해서 그 가수의 콘서트는 표를 구하기가 정말 어려워요.
김 과장님은 다른 사람보다 일을 잘 해요. 아무리 어려운 일을 맡아도 쉽게 해요.	제 친구는 대학을 졸업한 후에 대기업에 취직해서 이제는 사장님이 되었어요. 그 친구는 제가 아는 사람들 중 사회에서 가장 높은 자리에 오른 사람이에요.	미술계의 많은 사람들이 그 화가의 작품이 가치가 있다고 칭찬하고 작품을 사려는 사람들도 점점 많아지고 있어요.

02 여러분이 아는 사람 중에 이런 사람이 있습니까?

1) 유명한 사람 :

2) 성공한 사람 :

3) 인기가 좋은 사람 :

문법 연습

-는/은/ㄴ 모양이다

01 다음 글을 읽고 빈칸을 채우십시오.

아침에 일어나서 창문을 열어보니 문 앞의 나뭇잎에서 물방울이 떨어지고 있었다. 내가 자는 동안 1) <u>비가 온 모양이다.</u> 방 친구에게 같이 아침을 먹자고
(비가 오다)

했는데 아침을 먹는 것보다는 계속 자고 싶다고 했다. 어제 늦게까지 공부해서
2) _____. 혼자 아침을 먹고 나서 집에서 나왔다. 학교에 도착해서
　　(피곤하다)

가방을 여니 공책이 없었다. 공책을 가져다 달라고 집에 전화했는데 전화를 받지 않았다. 방 친구는 아직도 3) _____. 복도에서 지난 학기에
(자다)

같이 공부한 친구를 봤는데, 그 친구는 나한테 인사도 안 하고 그냥 지나가 버렸다. 4) _____. 오늘은 왠지 외로운 기분이 든다.
　　　(나를 못 보다)

-을/ㄹ 뿐이다

02

다음 그림을 보고 대화를 완성하십시오.

❶

가 : 할머니 댁까지 짐을 들어 드렸어?

나 : 아니, 정류장까지만 짐을 들어 드렸을 뿐이야.

❷ **매일 산책 30분**

가 : 정말 날씬해지셨네요. 무슨 운동 하셨어요?

나 : 그래요? ....

❸ 농담이에요.

가 : 마리아 씨가 화가 많이 났던데요. 왜 그래요?

나 : ....

❹ 힘든 일은 네가 다 하고 난 쉬운 일만 해서 미안해.

가 : 이 일을 혼자 다 했어요?

나 : ....

과제 1 　말하기

다음 표의 빈칸을 채우고 [보기]와 같이 이야기해 봅시다.

친구의 이름	예전	요즘	내가 생각하는 이유
영희	언제나 웃는 모습이었다.	잘 웃지도 않고 항상 피곤해한다.	회사 일이 너무 많고 힘든 모양이다.

[보기]　　내 친구 영희는 한국에 와서 처음 사귄 한국 친구이다. 작년까지만 해도 영희는 언제나 웃는 모습으로 주위 사람들을 즐겁게 해 주었는데 요즘은 잘 웃지도 않고 너무 피곤한 모습이다. 회사 일이 너무 많고 **힘든 모양이다.**

과제 2 　듣고 말하기 [CD1:47]

01 이야기를 잘 듣고 질문에 답하십시오.

1) 김영수에 대해 들은 내용을 쓰십시오.

❶ 고향 : ....　　❷ 전공 : .... , ...

❸ 직업 : ....

2) 김영수에 대해서 들은 내용과 **다른** 것은 무엇입니까? (　　　)

❶ 농담을 잘 한다.　　　　　　　❷ 잘 생겼다.

❸ 열심히 노력한다.　　　　　　❹ 잘 웃는다.

3) 들은 내용과 같으면 ○ 다르면 ✕표시를 하십시오.

❶ 김영수는 성공한 사람이다.　　　　　　　　　　(　　　)

❷ 김영수는 대학을 두 곳 다녔다.　　　　　　　　(　　　)

❸ 김영수는 이탈리아에서 인정을 받았다.　　　　(　　　)

❹ 이 사람은 김영수를 대학원에서 만났다.　　　　(　　　)

모습 image

02 다음 빈칸을 채우고 여러분의 친구를 소개해 봅시다.

[내 친구]

• 이름 :

• 나이 :

• 고향 :

• 취미 :

• 직업 :

• 성격, 특징 :

• 기다 :

억양 intonation　**사투리** dialect　**원래** originally　**끊임없다** to be continual

Dialogue

Rie	The friend you told me about last time was on the news yesterday.
Miseon	Yes. She did her fashion show in Paris, France and it seemed she got a good review.
Rie	Was she famous in Korea?
Miseon	Her capablities were recognized but she wasn't that famous.
Rie	Do you meet her often nowadays?
Miseon	She is so busy that we can barely only talk on the phone.

문법
설명

01 –는/은/ㄴ 모양이다

It is used to assume a person's behavior or state after observing a situation. It is attached to verb stems. When assuming a current action or situation '–는 모양이다' is attached to the action verb stem, '–은 모양이다' is attached to the descriptive verbs ending with consonants and '–ㄴ 모양이다' is attached to the descriptive verbs ending with vowels. For situations which has not happened yet but are assumed, '–을 모양이다' is used when the attached action verb stem ends with consonants. For action verbs ending with vowels, '–ㄹ 모양이다' is used.

- 뛰어가는 걸 보니까 지금 바쁜 모양이다.
- 선생님 복장을 보니 산에 가시는 모양입니다.
- 오늘은 미선 씨가 약속이 있는 모양이에요.
- 아직 일이 안 끝난 모양이에요. 사무실에 불이 켜져 있어요.
- 하늘을 보니 곧 비가 올 모양이다.

Seeing him running, it seems like that he is busy at the moment.
Looking at teacher's clothes, it looks like he is going hiking.
It seems like Miseon has an appointment today.
It seems that work is not finished yet. The lights in the office are still on.
Looking at the sky, it looks like it is going to rain.

02 −을/ㄹ 뿐이다

It is used to emphasize that only one specific action has been done and not more. It also underlines that the action was rather small and not big. It is attached to verb stems. After action verbs or descriptive verbs ending with consonants '−을 뿐이다' is used whereas after action verbs or descriptive verbs with vowel-endings '−ㄹ 뿐이다' is used. For actions which already happened '−었을 뿐이다' is used.

- 지금은 아무 것도 하고 싶지 않아요. 자고 싶을 뿐이에요.
- 저는 그 사람 잘 몰라요. 지난번에 한 번 봤을 뿐이에요.
- 커튼만 바꿨을 뿐인데 집안 분위기가 달라졌어요.

I don't want to do anything at the moment. I just want to sleep.
I don't know that person well. I have just met him/her once.
The atmosphere in the house has changed even though I had changed only the curtains.

- 가 : 대청소 했어요?
  나 : 아니요. 정리만 했을 뿐이에요.
- 가 : 도와 주셔서 감사합니다.
  나 : 뭘요, 제가 할 일을 했을 뿐인데요.

A : Did you clean the whole house?
B : No. I just tidied up.
A : Thank you for your help.
B : Never mind. I have just done what I had to do.

02 좋은 하숙집 아주머니를 만나셨네요

학습 목표 ● 과제 한국인의 특성 이야기하기 ● 문법 –는다면서요?/–만하다 ● 어휘 성격 관련 어휘

아주머니가 무엇을 하고 있습니까?
여러분도 가족처럼 친하게 지내는 사람이 있습니까?

충분하다
to be enough

무척
extremely

죽
porridge

챙기다
to take care of

마치
as if

🔊 CD1:48~49

미선 　마리아 씨, 하숙을 옮겼다면서요? 방은 마음에 들어요?

마리아 　네, 마음에 들어요. 크기가 이 교실 반만한데 혼자 쓰기에는
　　　　충분해요.

미선 　하숙집 분위기는 어때요?

마리아 　아주머니가 무척 친절하세요. 지난번에 제가 배탈이 났었는데
　　　　엄마처럼 죽도 끓여 주셨어요.

미선 　그래요? 좋은 하숙집 아주머니를 만나셨네요.

마리아 　네, 잘 챙겨 주셔서 마치 고향에 계신 어머니 같아요.

어휘

01 [보기]에서 알맞은 말을 골라 빈칸에 쓰십시오.

[보기] 성격이 급하다　정이 많다　냉정하다　게으르다
　　　고집이 세다　말이 많다　무뚝뚝하다　꼼꼼하다

다른 사람에 대해 관심이 많아요. 다른 사람에게 문제가 생기면 잘 도와줘요.	다른 사람에게 말을 별로 하지 않아요. 말을 해도 친절하지 않아서 화가 난 사람 같아요.	무슨 일이든지 아주 빨리 하려고 해요. 다른 사람을 기다려 주지 않아요.
정이 많다		
일을 제시간에 끝낸 적이 별로 없어요. 항상 "다음에 다음에"하면서 일을 미뤄요.	다른 사람의 의견을 별로 듣지 않고 자기 생각대로만 하려고 해요.	이야기를 너무 많이 해서 언제나 시끄러워요. 자기와 관계없는 일에도 관심이 많아요.

02 빈칸에 알맞은 어휘를 쓰십시오.

1) 그분은 __무뚝뚝해__ ~~어/아/여~~ 보이지만 마음만은 따뜻한 사람이다.

2) 그 사람은 성격이 아주 _____ 어서/아서/여서 실수가 거의 없다.

3) 내 친구는 _____ 은/ㄴ 편이어서 자기 생각을 잘 바꾸지 않는다.

4) 내 동생은 _____ 어서/아서/여서 행동이 느린 나를 아주 답답해한다.

5) 우리 어머니는 _____ 으셔서/셔서 불쌍한 사람을 보면 꼭 도와주신다.

문법 연습

– 는다면서요?/ㄴ다면서요?/다면서요?/이라면서요?

옆 친구의 고향에 대해 알고 있는 것을 다음 표에 써보고 '–는다면서요?'를 이용해서 맞는지 친구에게 질문하십시오.

확인할 내용	내가 알고 있는 것	질문
유명한 음식	일본의 초밥	일본 사람들은 모두 다 초밥을 좋아한다면서요?
유명한 사람		
유명한 장소		
기타		

–만하다

다음 그림을 보고 문장을 완성하십시오.

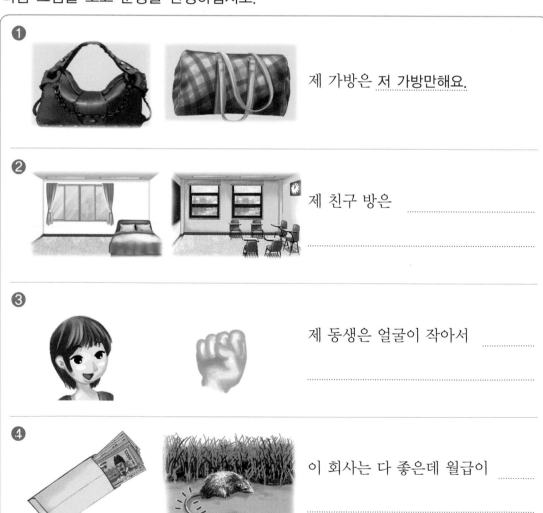

❶ 제 가방은 <u>저 가방만해요.</u>

❷ 제 친구 방은 ....

❸ 제 동생은 얼굴이 작아서 ....

❹ 이 회사는 다 좋은데 월급이 ....

과제 1 말하기 •────────────

다음은 한국 사람에 대해 외국인들이 들은 이야기입니다. 여러분이 들은 것도 써 보고 선생님과 옆 친구에게 질문해서 확인해 봅시다.

- 한국 사람들은 마음이 따뜻해요.
- 한국 사람들은 축구를 좋아해요.
- 한국 사람들은 모두 김치를 담글 수 있어요.
- 한국 사람들은 _____
- 한국 사람들은 _____

질문	O	X
한국 사람들은 마음이 **따뜻하다면서요?**	✔	

(김치를) 담그다 to make kimchi

Y O N S E I   K O R E A N 3

과제 2 읽고 쓰기

01 다음을 읽고 질문에 답하십시오.

Communication Service @YONSEI

▣ 공지사항 ▣ Q&A ▣ 도움말 ▣ 로그아웃

메일쓰기

[보내기] [임시저장] [다시쓰기] [미리보기] [음성메일] [주소록]

보내는 사람	마리아	
받는 사람 [참조추가 ▽]		자주 사용하는 메일주소 ▽ / 최근 보낸 메일주소 ▽
제 목		
편집모드	●HTML ○TEXT 개별발송 □ 메시지 인코딩 한국어(EUC-KR) ▽	

스타일 ▼ 포맷 ▼ 폰트 ▼ 글자 크기 ▼

마리나 안녕?

그동안 잘 있었니? 내가 한국에 온 지 벌써 반 년이 넘었구나.

너도 한국으로 유학을 온다면서? 한국말은 많이 늘었니? 네가 한국에 오면 자주 만날 수 있겠다.

난 한국에서 잘 지내고 있어. 학교 근처에서 하숙을 하고 있는데, 하숙집에는 주인 아주머니와 한국 대학생들이 살고 있어서 아주 재미있어. 가끔 이해할 수 없는 일도 있지만 한국 사람들과 잘 지내고 있는 편이야.

우리 하숙집에 있는 한국 사람들은 정이 아주 많아. 그래서 그런지 다른 사람에게도 관심이 많아. 다른 사람들이 무엇 때문에 힘든지 알고 싶어하고, 부탁하지도 않았는데 도와주려고 할 때도 있어. 그래서 처음에는 귀찮기도 했어. 나는 혼자서 생각하고 싶은데 계속 괜찮은지 말을 걸 때가 있거든. 내 사생활을 너무 많이 알려고 하는 것 같아서 기분이 나쁠 때도 있었어.

지금은 '한국 사람들이 정이 많아서 나에게 관심이 많구나' 하고 생각하니까 고마울 때가 많아. 너도 한국에 오면 한국 사람들을 좋아하게 될 거야. 빨리 한국으로 와.

마리아 씀.

1) 마리아가 편지를 쓴 목적은 무엇입니까? (   )

❶ 한국 생활의 즐거움을 얘기하고 싶어서

❷ 친구에게 한국 학교에 대한 정보를 주려고

❸ 친구에게 빨리 유학을 오라고 말하고 싶어서

❹ 한국 사람과 친구가 되는 방법을 알려 주려고

2) 요즘 마리아는 한국 사람이 어떻다고 생각합니까? **맞지 않는** 것을 고르십시오. (   )

❶ 다른 사람을 귀찮게 한다.

❷ 다른 사람을 잘 도와준다.

❸ 다른 사람에게 정을 많이 준다.

❹ 다른 사람의 생활에 관심이 있다.

02 여러분이 마리아라면 친구에게 어떻게 편지를 쓰겠습니까? 아래에 써 봅시다.

Communication Service @ YONSEI ▣ 공지사항 ▣ Q&A ▣ 도움말 ▣ 로그아웃

📧 메일쓰기

[보내기] [임시저장] [다시쓰기] [미리보기] [음성메일]   [수소록]

보내는 사람	마리아	
받는 사람 [참조추가 ▽]		자주 사용하는 메일주소 ▽ / 최근 보낸 메일주소 ▽
제 목		
편집모드	⊙HTML ○TEXT 개별발송 □ 메시지 인코딩 한국어(EUC-KR) ▽	

[스타일 ▼ 포맷 ▼ 폰트 ▼ 글자크기 ▼]

                    에게

  잘 지내고 있니? 나는 아주 재미있게 유학 생활을 하고 있어.
  처음에 한국에 왔을 때는 한국 사람들이 낯설고 이상했는데 요즘은 아주 좋아.
특히 나와 같이 살고 있는 한국 사람들은

너도 한국 사람들을 만나면 좋아하게 될 거야.

파일 첨부	이름	크기	[파일추가] [파일삭제] [파일보기] 총용량: [0 bytes] (최대 20M) Simple 업로드
발송 설정	중요도 보통 ▽ 보낸메일저장 ☑ 서명추가 □ 내명함첨부 □ 수신확인 ☑		
예약 설정	□ ▽년 ▽월 ▽일 ▽시 ▽분		
회신 주소			

[보내기] [임시저장] [다시쓰기]

사생활 privacy   **낯설다** to be unfamiliar

Dialogue

Miseon	Maria, I heard that you have moved boarding houses. Do you like your new room?
Maria	Yes, I like it. It is about half the size of this classroom, but it is big enough for me to use by myself.
Miseon	What is your boardinghouse atmosphere like?
Maria	My landlady is very kind. When I got a stomachache last time, she made me porridge just like a mom would.
Miseon	Really? You have met a nice landlady.
Maria	Yes. She takes such good care of me that I feel like she is my mother.

문법 설명

01 −는다면서요?/ㄴ다면서요?/다면서요?/이라면서요?

It is used as a question to confirm a statement heard from a third person. It is attached to verb stems. For action verbs ending with a consonant '−는다면서요' is used and for action verbs ending with a vowel '−ㄴ다면서요' is used. Attached to descriptive verbs are '−다면서요' and attached to nouns are the endings '이라면서요'. For things which already finished, the ending '−었다면서요' is used. '−는다면서' is used in conversation with close friends or people who are younger in age or lower in hierarchy.

• 가 : 오늘이 생일이라면서요?	A : I heard that it is your birthday today. Is it true?
나 : 네, 맞아요. 어떻게 아셨어요?	B : Yes, that's right. How did you know that?
• 가 : 미선 씨한테서 들었는데, 요즘 바쁘다면서요?	A : I heard from Miseon that you are busy these days. Is it true?
나 : 네, 할 일이 너무 많아서 밥 먹을 시간도 없어요.	B : Yes. There is so much to do that I don't even have time to eat.
• 가 : 영화를 좋아하신다면서요?	A : I heard that you like movies. Is it true?
나 : 네, 주말마다 영화를 봐요.	B : Yes, I watch movies every weekend.
• 가 : 어제 음악회에 갔다면서요?	A : I heard that you went to a concert yesterday. Is it true?
나 : 네, 정말 좋았어요.	B : Yes, it was really good.
• 가 : 니콜라 씨가 다음 달에 고향에 돌아갈 거라면서요?	A : I heard that Nicola is returning home. Is it true?
나 : 아니요. 계획을 바꿔서 더 있기로 했대요.	B : No, he changed his plan and decided to stay here longer.

02 −만하다

It is used to compare a person's height or the size of things. It is attached to the nouns.

• 그녀는 얼굴이 주먹만하다.	Her face is as small as a fist.
• 우리 형 키는 나만해요.	My brother is as tall as I am.
• 우리 집에 있는 책상도 이 책상만해요.	The table in our house is the same size as this one.
• 제 친구 목소리는 너무 작아서 모기 소리만해요.	My friend's voice is as that of quiet as that of a mosquito.
• 월급이 너무 작아요. 쥐꼬리만해요.	The salary is really small, it's comparable with a mouse tail.

03 큰 돈을 기부하기란 쉬운 일이 아닌데

학습 목표 ● 과제 미담 소개하기 ● 문법 -기란, -었던 것 같다 ● 어휘 경제 생활 관련 어휘

여자는 무엇을 하는 것 같습니까?
여러분은 다른 사람을 도와준 적이 있습니까?

혹시
by any chance

말이다
Do you
mean...?

돈을 벌다
to earn money

기부하다
to donate

놀랍다
to be
surprising

자신
oneself

대단하다
to be
wonderful

◀)) CD1:50~51

제임스   너 그 소식 들었니?

마리아   무슨 이야기? 혹시 학교 앞에서 떡볶이 파시던 그 아주머니 이야기
         말이야?

제임스   응, 너도 들었구나. 20년 동안 번 돈을 학교에 기부했다는 이야기를
         듣고 깜짝 놀랐어.

마리아   나도. 그렇게 큰 돈을 기부하기란 쉬운 일이 아닌데.

제임스   맞아. 떡볶이를 팔아서 그 돈을 모았다는 것도 놀라웠어.

마리아   아주머니는 자신처럼 돈이 없어 공부를 못한 사람을 돕고 싶었던 것
         같아. 정말 대단하지?

어휘

01 [보기]에서 알맞은 어휘를 골라 빈칸에 쓰십시오.

[보기] 돈을 벌다   저축하다   절약하다
       기부하다   낭비하다   투자하다

일을 해서 돈을 얻거나 모아요.	번 돈을 쓰지 않고 은행에 모아 두어요.	좋은 일을 하는 것을 돕거나 다른 사람들을 돕기 위해 돈을 내요.
돈을 벌다		
시간이나 돈 등을 쓸데없는 곳에 마구 써요.	돈이나 물건 등을 아무 데나 쓰지 않고 꼭 필요한 데만 아껴 써요.	이익을 얻기 위해 어떤 일에 돈, 시간을 쓰거나 노력을 해요.

02 빈칸에 알맞은 어휘를 쓰십시오.

이미나 씨는 열심히 일을 해서 많은 돈을 1) 벌었다 ~~었다/았다/였다.~~ 그 돈을 쓰지 않고 거의 모두 은행에 2) ＿＿＿＿＿＿＿ 었다/았다/였다. 미나 씨는 적은 돈도 쓸데없이 3) ＿＿＿＿＿＿＿ 는 일이 없었다. 그런 미나 씨가 그동안 모은 돈 1,000만 원을 주식에 4) ＿＿＿＿＿＿＿ 어서/아서/여서 5,000만 원을 만들었다. 나는 미나 씨가 그 돈으로 무엇을 할지 궁금했었다. 미나 씨는 얼마 전에 그 돈을 모두 고아원에 5) ＿＿＿＿＿＿＿ 었다고/았다고/였다고 한다. 나는 미나 씨의 이야기를 듣고 정말 감동했다.

문법 연습

-기란

01 여러분이 하기 어렵다고 생각하는 일을 다음과 같이 쓰십시오.

하기 어렵다고 생각하는 일

- 하루도 빠지지 않고 숙제를 한다.
- 시험에서 모두 100점 받는다
- 일류 대학교에 들어간다
- ....

- 하루도 빠지지 않고 숙제를 하기란 쉬운 일이 아니에요.
- ....
- ....
- ....

–었던/았던/였던 것 같다

02

다음 그림을 보고 옛날 사람들의 생활이 어땠을지 [보기]와 같이 쓰십시오.

옛날	요즘

1) 옛날에는 수도가 없었던 것 같아요.

2) _____

3) _____

4) _____

과제 1 말하기

다음을 보고 표의 질문에 답해 봅시다.

불이 난 집에서
주인을 구한 개

식사를 할 수 없는 아이들을
위해 매일 도시락을 준비해
주시는 할아버지

주말마다 병원에서
자원봉사를 하시는
아주머니

누가 가장 훌륭하다고 생각합니까?	주인을 구한 개	
왜 그렇게 생각합니까?	다른 사람을 구하기 위해 불이 난 집에 **들어가기란** 사람도 하기 힘든 일이라고 생각한다. 동물은 불을 무서워하기 때문에 더 대단하다고 생각한다.	
왜 이런 일을 한 것 같습니까?	그 개는 정말로 주인을 **사랑했던 것 같다.**	

과제 2 읽고 쓰기

01 다음을 읽고 질문에 답하십시오.

김밥 할머니, 평생 모은 돈 고아원에 기부

우리의 마음을 따뜻하게 해주는 미담이 있다. 미담의 주인공은 김연순 할머니(72세). 김 할머니는 지난 19일 서울에 있는 한 고아원에 2억 원을 기부했다. 2억 원은 김 할머니가 그동안 결혼도 하지 않고 혼자 살면서 김밥 장사를 하여 모은 전 재산이다. 김 할머니는 어렸을 때 일찍 부모님을 잃고 고아원에서 자랐다고 한다. 처음에는 고아원 생활이 어렵기도 했지만, 고아원에서 만난 친구들과 선생님들 덕분에 행복한 마음으로 살았다고 한다. 김 할머니는 많은 고생을 했지만 늘 사회에 감사하는 마음을 잊지 않았고, 틈만 나면 여러 가지 봉사 활동을 해 왔다고 한다. 김 할머니는 사진을 찍고 싶지 않다고 하면서 "해야 할 일을 했을 뿐"이라고 했다.

1) 위에서 읽은 미담에 대해 쓰십시오.

❶ 주인공 : ....

❷ 한 일 : ....

2) 이 글의 내용과 같은 것은 무엇입니까? (   )

❶ 할머니는 어렸을 때 고아원에서 산 적이 있다.

❷ 할머니는 주말마다 고아원에서 봉사 활동을 했다.

❸ 할머니는 돈이 생기면 고아원에 기부하고 싶어한다.

❹ 할머니는 고아원에서 자랐지만 고생한 적은 없다고 했다.

3) 이 글의 내용과 같으면 ○ 다르면 ×표시를 하십시오.

❶ 이 기사의 주인공은 김밥 장사를 했다.   (   )

❷ 이 기사의 주인공은 자식들을 위해 평생을 고생했다.   (   )

❸ 이 기사의 주인공은 자신의 행동을 자랑하고 싶어한다.   (   )

❹ 이 기사의 주인공은 기자와의 인터뷰 후에 사진을 찍었다.   (   )

02 미담이란 마음이 따뜻해지는 아름다운 이야기입니다. 지금까지 여러분이 들어 본 미담에 대해서 써 봅시다.

주인공: ....

직업: ....

내용: ....

....

....

....

....

....

미담 a praiseworthy anecdote   **재산** a fortune   **고아원** an orphanage   **사회** society

Dialogue

James	Did you hear that news?
Maria	What news? By any chance do you mean the story about the lady who sells tteokbokki in front of school?
James	Yes, you heard it too! I was so surprised when I heard that she donated the money that she earned during the last 20 years to the school.
Maria	Me too. Donating such a big amount of money is not an easy thing.
James	That's right. I was even more surprised when I heard that she saved all that money from selling tteokbokki.
Maria	It seems like she wanted to help people who cannot study because of money like herself. I think that is really wonderful.

문법
설명

01 -기란

It is used to explain or emphasize an action which is made to be the main conversation topic. It is attached to the verb stems.

- 옛날에는 여자가 취직하기란 하늘의 별따기였다.

  In the past it was very difficult to get a job as a woman.

- 계획을 하기는 쉬운데 실천에 옮기기란 아주 어렵다.

  It is easy to plan things but very difficult to put it into action.

- 날마다 아침 6시에 일어나기란
  여간 어려운 일이 아니에요.
- 인터넷에서 자신에게 필요한
  정보를 찾아내기란 그리 쉬운 일이
  아니었다.

It is very difficult to wake up at 6 am every morning.
It was not that easy to search for resources which one needed in the Internet.

02 -었던/았던/였던 것 같다

This expression is used when one cannot remember something clearly or when one assumes something by observing a situation. It is attached to verb stems. After all action verbs or descriptive verbs ending with vowels except of '아,야,오', '-었던 것 같다' is used and after action verbs and descriptive verbs ending with with '아,야,오' '-았던 것 같다' is sued. After verbs ending with '하다' '-였던 것 같다' is used.

- 이 기사 언제 한 번 읽었던 것 같다.
- 내 기억으로는 이 근처에 학교가
  있었던 것 같다.
- 학생 때가 좋았던 것 같다. 사회에
  나오니 너무 힘들다.

- 집에 누가 왔던 것 같다. 냉장고에
  있던 음식이 없어졌다.

I think I read this article once.
As far as I can remember, there should be a school nearby.
I think that the student life was a good time. It is very difficult being in the working world.
It seems that somebody came by at my house. The food in the refrigerator is gone.

04 선생님 같은 사람이 되고 싶어요

학습 목표 ● 과제 인물 인터뷰하기 ● 어휘 –었을 텐데, –거든 ● 어휘 직종 관련 어휘

미선 씨가 기억하는 선생님은 어떤 분일까요?
여러분이 존경하는 사람은 어떤 사람입니까?

🔊 CD1:52~53

마음이 넓다
to be
generous

배려하다
to be
considerate

존경하다
to respect

흐뭇하다
to be pleased

미선 　제 고등학교 때 사진 좀 보세요. 이분이 우리 선생님인데 멋있으시죠?

리에 　선생님을 많이 좋아했나 봐요. 어떤 분이셨어요?

미선 　마음이 넓으신 분이셨어요. 우리 때문에 많이 힘드셨을 텐데 화를
　　　내시는 모습을 본 적이 없어요.

리에 　참 좋으신 분이네요.

미선 　저도 다른 사람을 배려해 주는 선생님 같은 사람이 되고 싶어요.

리에 　다음 주에 동창회가 있다고 했지요? 선생님을 뵙거든 존경한다고
　　　말씀드려 보세요. 흐뭇해하실 거예요.

어휘

01 [보기]에서 알맞은 어휘를 골라 빈칸에 쓰십시오.

[보기] 교육자　　연예인 정치인　　사업가 언론인	교육자 • 학교에서 가르친다. • 전문 지식을 다른 사람에게 잘 설명할 수 있다.	 • 신문이나 방송에서 새로운 소식을 전한다. • 말재주, 글재주가 있다.
  • 방송에 나와서 다른 사람을 즐겁게 해 준다. • 재주가 많다.	 • 국민을 대표해서 일한다. • 지도력이 있다.	 • 회사를 경영한다. • 경제를 잘 안다.

02 빈칸에 알맞은 어휘를 쓰십시오.

1) 가수, 배우 　　　　　　　　　　（　연예인　）
2) 기자, 아나운서 　　　　　　　　（　　　　　）
3) 사장, 회장 　　　　　　　　　　（　　　　　）
4) 교사, 교수 　　　　　　　　　　（　　　　　）
5) 대통령, 국회의원 　　　　　　　（　　　　　）

문법

01

–었을/았을/였을 텐데

다음 표를 채우고 문장을 만드십시오.

	내가 만난 사람	나의 추측	그 사람에게 하고 싶은 말
1)	11시에 슈퍼에 가려는 친구	그 가게는 문을 닫았을 거예요.	내일 가.
2)	서울에서 처음 운전한 친구	길이 복잡했을 거예요.	운전하기가 힘들지 않았어요?
3)	한국어 능력 시험 6급을 본 친구	시험이 어려웠을 거예요.	
4)	여자 친구에게 '사랑'이라는 영화를 보자고 하려는 친구	그 영화는 끝났을 거예요.	

1) 그 가게는 문을 닫았을 텐데 내일 가.

2) _____

3) _____

4) _____

02

–거든

관계있는 것을 연결하고 문장을 만드십시오.

1) 공항에 도착하다 ●╌╌╌╌╌╌╌╌╌● 먼저 전화부터 해 주세요.

2) 내가 없는 사이에 전화가 오다 ● ● 메모를 남겨 주세요.

3) 김 선생님을 만나다 ● ● 병원에 꼭 가셔야 해요.

4) 이 약을 먹어도 낫지 않다 ● ● 이 책 좀 전해주세요.

1) 공항에 도착하거든 먼저 전화부터 해 주세요.

2) _____

3) _____

4) _____

과제 1 말하기 ●

다음 기사는 대기업 사장님의 과거 이야기입니다. 여러분이 기자가 되어서 다음과 같이 질문해 봅시다.

저는 집안이 너무 어려워서 고등학교에 갈 학비가 없었습니다. 중학교 때 선생님께서 야간 고등학교 장학생으로 추천해 주셔서 겨우 입학할 수 있었습니다. 낮에는 아르바이트를 하고, 밤에는 학교를 다니면서 겨우 고등학교를 졸업했습니다. 졸업 후 서울로 왔습니다. 하지만 제가 취직할 수 있는 곳은 없었습니다. 시장에서 청소를 하면서 대학 생활을 했습니다. 대학을 졸업하고 취직한 곳이 지금의 이 회사입니다. 그 때는 아주 작은 회사였지만 지금은 세계적인 회사가 되었습니다.

1) 학비가 없어서 **힘드셨을 텐데** 이렇게 고등학교에 다니셨습니까?

2)

3)

4)

장학생 a scholarship student   **세계적이다** to be global

01 대화를 듣고 질문에 답하십시오.

1) 들은 내용과 맞는 것을 고르십시오. (　　　)

❶ 여자는 선생님이 되려고 한다.

❷ 기자가 선생님을 인터뷰하고 있다.

❸ 선생님은 학생들의 문제에 대해 이야기하고 있다.

❹ 학생들은 선생님의 이야기가 재미없다고 생각한다.

2) 다음 표를 채우십시오.

학생의 질문	선생님의 대답
• 선생님의 인기 비결은 무엇입니까?	
•	
•	
•	

02 여러분이 존경하는 사람은 누구입니까? 그 사람을 만나면 무엇에 대해 질문하고 싶습니까? 다음 표에 써 봅시다.

존경하는 인물	질문하고 싶은 내용

지식 knowledge　**인물** a figure

Miseon	Take a look at my high school photo. This was my teacher. Isn't he cool?
Rie	You must have liked him a lot. What was he like?
Miseon	He was a helpful and generous teacher. Even though he had a hard time with us I never saw him angry.
Rie	He sounds like a really nice person.
Miseon	I want to be a person who is considerate of others like my teacher.
Rie	Didn't you say that there is a reunion next week? Tell him how much you respect him when you meet him. He will be very pleased.

문법
설명

01 –었을/았을/였을 텐데

It is used to give an assumption about an occasion which already ended. It is attached to verb stems. Attached to action verbs or descriptive verbs with vowel-endings except of '아,야,오' '–었을 텐데' is used, when the verbs end with the vowels '아,야,오' '–았을 텐데' is used and for the action verbs ending with '하다' '–였을 텐데' is used.

- 하루 종일 걸어서 많이 피곤하셨을 텐데 할머니는 아무 말씀이 없으셨다.

  She must have been tired walking around all day, but my grandmother hasn't said anything.

- 용돈이 떨어질 때가 되었을 텐데 아직 연락이 없네요.

  It is time that she/he must have run out of pocket money. But she/he hasn't called yet.

- 여기까지 올 때 시간이 많이 걸렸을 텐데 힘들지 않았어요?
- 이 시간이면 아이들이 모두 집에 도착했을 텐데요.
- 계획대로라면 이미 수업이 끝났을 텐데.

It must have taken a long time to come here.

Around this time, the children should have arrived at home.

If we had sticked to our plan, we would have already finished class.

It is also used to assume a situation which is the opposite to the current situation.

- 같이 있었으면 더 기뻤을 텐데.

If we had been together, it would have been nicer.

- 조금 더 기다렸으면 만날 수 있었을 텐데.

If you had waited longer, you could have met her/him.

02 -거든

This expression is used to indicate that the act or the state in the first clause is done on the condition that the act in the second clause shall be done. In the second clause, the endings '-으십시오, -읍시다' are used to express orders, suggestions, requests, promises. It is attached to verb stems.

- 가 : 오늘은 정말 피곤하네.
  나 : 피곤하거든 집에 일찍 가서 좀 쉬어.

A : I am really tired today.
B : If you are tired, you should go home early and take a rest.

- 가 : 오늘 영화 본다면서요?

  나 : 응, 시간이 있거든 같이 보자.

A : I heard that you are watching a movie today?

B : If you have time, let's go together.

- 가 : 오늘 미선 씨를 만나려고 하는데 같이 갈래요?
  나 : 오늘은 안 되겠는데요. 미선 씨를 만나거든 안부 전해 주세요.

A : I am going to meet Miseon today, do you want to come with us?

B : I can't today. If you meet Miseon, please say hi to her.

- 가 : 어디 가세요?
  나 : 응, 영수 씨가 나를 찾거든 이따가 전화한다고 해 줘.

A : Do you go somewhere?

B : Yes, if Yeongsu is looking for me, please tell him that I am going to call him later.

05 정리해 봅시다

01 다음 단어들을 사용하여 친구 중 한 사람에 대해 이야기해 보십시오.

성격	사회 생활	경제 생활	직업
정이 많다	유명하다	돈을 벌다	교육자
냉정하다	성공하다	저축하다	연예인
무뚝뚝하다	능력이 있다	절약하다	언론인
꼼꼼하다	인기가 좋다	투자하다	학생
게으르다	인정을 받다	돈을 쓰다	회사원
고집이 세다	기타	낭비하다	주부
성격이 급하다		기타	기타 ....
기타			

02 다음 표현을 사용하여 대화를 완성하십시오.

–는 모양이다	–을 뿐이다	–는다면서요?	–만하다
–기란	–었던 것 같다	–었을 텐데	–거든

미선 : 제임스 씨가 이번에 또 1) _____ ?
(승진하다)

리에 : 네, 공부와 일을 함께 2) _____ 쉽지 않은데 둘 다 잘 하니 정말
(하다)

대단하지요?

미선 : 맞아요. 게다가 외국에서 사니까 어려운 점도 많았을 텐데 제임스 씨는 능력

이 3) _____ .
(뛰어나다)

리에 : 네, 그렇지만 제임스 씨도 처음 한국말 공부를 시작했을 때는 일과 공부 때문

에 4) _____ . 많이 피곤해했었거든요.
(힘들다)

미선 : 그랬군요. 이따가 제임스 씨를 5) _____ 축하한다고 전해 주세요.
(만나다)

03 여러분 나라의 유명한 인물에 대해 이야기해 봅시다.
그 사람은 어떤 사람입니까? 왜 유명합니까?

문화

세종대왕(1397. 4. 10~1450. 2. 17) [CD1:55]

　　세종은 조선시대(1392-1910)의 네 번째 왕입니다. 그는 젊고 능력 있는 학자들을 기용하여 정치, 경제, 문화 면에서 훌륭한 업적을 많이 쌓았습니다. 세종은 1446년 9월에 학자들과 함께 '훈민정음'을 만들었습니다. 훈민정음은 '백성을 가르치는 바른 소리'라는 뜻으로 한글의 옛날 이름입니다. 그때까지는 사람들의 생각과 말을 적을 수 있는 글자가 없었기 때문에 사람들은 자신의 생각을 글로 쓸 때 중국의 한자를 사용해야 했습니다. 세종은 이러한 백성들의 어려움을 덜기 위해서 배우기 쉽고 사용하기 쉬운 글자를 만들었습니다. 바로 이것이 현재의 한글입니다. 세종은 또한 과학 기술 방면에도 관심이 많아 비가 온 양을 재는 측우기나 해시계, 물시계 등 과학 기구도 발명하였습니다. 세종은 여러 방면에서 다양한 능력을 가진 지도자로서, 따뜻한 마음을 가진 한 인간으로서 현대에도 한국 사람들의 존경을 받는 인물로 남아 있습니다.

〈세종대왕 동상〉

〈훈민정음〉　〈측우기〉

〈해시계〉　〈물시계〉

1. 여러분 나라의 위인을 한 명 소개해 봅시다.

2. 왜 그 사람이 존경스러운지 친구들에게 설명해 봅시다.

업적 achievements　**발명** invention　**지도자** leader

듣기 지문

듣기 지문

1과 2항 과제 2 [CD1:05]

웨이   정희 씨, 취미가 뭐예요?

정희   저는 그림을 좋아해요. 그림을 잘 그리지는 못하지만 좋은 그림을 보면 기분이 좋아져요. 한 달에 한두 번은 그림을 꼭 보러 가요.

웨이   이번에 예술의 전당에서 유명 화가들의 전시회가 있다고 하는데 가 보셨어요?

정희   아, 동서양 유명 화가들의 전시회 말이지요? 저는 지난주에 갔다 왔어요.

웨이   어땠어요?

정희   유명한 그림을 볼 수 있어서 아주 좋았어요. 동양과 서양의 그림을 비교해 볼 수도 있었고요.

웨이   어떤 그림을 좋아하는데요?

정희   저는 풍경화가 좋아요. 인물화도 나쁘지는 않지만 자연을 그린 풍경화를 보면 제가 그 자연 속에 있는 것 같아서요.

웨이   이번 전시회에 풍경화만 있었어요?

정희   아니요. 인물화, 풍경화, 정물화 모두 있었어요. 화가들이 자신들의 모습을 그린 초상화도 많던데요.

웨이   저도 한번 가 봐야겠네요.

1과 3항 과제 2 [CD1:08]

여자   요즘 기분이 좋아 보여요. 무슨 좋은 일 있어요?

남자   사실은 얼마 전에 동아리에 들었는데 생각보다 재미있네요.

여자   무슨 동아리인데요?

남자   차를 사랑하는 사람들의 모임인데 줄여서 '차사모'라고 불러요.

여자   무슨 차요? 타고 다니는 차요?

남자   아니요, 마시는 차요.

여자   아, 녹차, 홍차 같은 그런 차요?

남자   네, 맞아요. 회원이 꽤 많아요.

여자   주로 뭘 하는데요?

남자   회원들과 같이 유명한 찻집을 찾아 다녀요.

차를 맛있게 끓이는 방법도 서로 가르쳐 주고요.

여자   그래요? 재미있겠는데요.

남자   수지 씨도 관심 있으면 우리 동아리에 들어올래요?

여자   어떻게 들어가요?

남자   인터넷 홈페이지에 들어가서 신청하세요. 누구나 들어갈 수 있어요.

여자   아, 그럼 바로 신청해야겠네요. 홈페이지 주소가 어떻게 돼요?

2과 2항 과제 2 [CD1:16]

제임스   여보세요, 인터넷에서 광고 보고 전화했습니다.
        카펫을 세탁하고 싶은데 어떻게 하면 되나요?

직원   주소를 알려 주시면 저희 직원이 가서 세탁물을 가져오고 세탁이 끝나면 다시
        가져다 드립니다.

제임스   며칠이나 걸리는데요?

직원   3-4일이면 됩니다.

제임스   작은 카펫인데 값은요?

직원   작은 카펫은 하나에 15,000원입니다.

제임스   커튼도 세탁이 가능한가요?

직원   가능하고말고요. 커튼도 하나에 15,000원입니다.

제임스   그럼 카펫 하나하고 커튼 하나만 부탁드릴게요.

직원   주소가 어떻게 되십니까?

제임스   신촌 연세 오피스텔 503호예요. 그런데 돈은 어떻게 내나요?

직원   세탁비는 세탁물을 받으실 때 직원에게 주시면 됩니다.

2과 3항 과제 2 [CD1:19]

가게 주인	어서 오세요.
영수	저, 구인 광고 보고 왔는데요. 혹시 아르바이트 직원 구하셨나요?
가게 주인	아니요, 아직이요. 아르바이트 하려고요?
영수	네.
가게 주인	꽃 배달 해 본 적 있어요?
영수	아니요, 없지만 열심히 하겠습니다.
가게 주인	오토바이 운전 면허증은 있고요?
영수	네, 있어요. 그런데 시간당 얼마쯤 받을 수 있어요?
가게 주인	시간당 7,000원씩 드립니다.
영수	일하는 시간은 어떻게 되죠?
가게 주인	오후 2시부터 7시까지예요.
영수	아, 그래요? 저는 오전에는 수업이 있어서 오후 2시부터 일할 수 있는데 마침 잘 됐네요.
가게 주인	언제부터 일할 수 있어요?
영수	언제든지 괜찮아요.
가게 주인	그럼, 내일부터 나오는 것으로 합시다.
영수	네, 알겠습니다. 감사합니다.

3과 1항 과제 2 [CD1:25]

제임스 씨는 요즘 몸이 안 좋은 것을 느낍니다. 평소에 운동도 많이 하고 규칙적인 생활을 해야 하는데 그렇게 하지 않았기 때문입니다. 한 달 전부터 금연 계획을 세웠지만 아직도 담배를 피우고 있습니다. 또 회사 일로 늘 과로를 하고, 일이 끝난 후엔 동료들과 자주 식사를 합니다. 그런데 그때마다 과식을 하게 되어 배가 더 나오는 것 같습니다. 술이요? 물론 자주 마시지요. 과음하지 않으려고 하지만 퇴근 후 소주 한잔의 유혹을 뿌리칠 수 없습니다. 제임스 씨의 생활은 정말 문제가 많습니다. 여러분 제임스 씨에게 어떤 충고를 해 주고 싶습니까?

3과 3항 과제 2 [CD1:30]

기자 오늘은 김철수 박사님을 모시고 건강에 좋은 식품에 대해 알아보겠습니다. 박사님, 안녕하세요?

김교수 네, 안녕하세요?

기자 요즘 건강에 대한 관심이 많아지고 있는데요. 건강을 위한 식습관은 어떤 것이 있을까요?

김교수 네, 먼저 다섯 가지 흰색 식품을 멀리해야 합니다. 다섯 가지 흰색 식품은 흰 쌀, 백설탕, 흰 밀가루, 흰 소금, 화학조미료 등을 말합니다. 이 다섯 가지 식품은 가능하면 적게 먹는 것이 좋습니다. 예를 들면 백설탕보다는 꿀을 먹는 것이 좋습니다.

기사 아, 그렇군요. 또 어떤 것을 주의해야 할까요?

김교수 다음으로, 적게 먹고 많이 씹어야 합니다. 음식물을 잘 씹으면 소화도 잘 되어서 여러 가지 병을 예방할 수 있습니다. 마지막으로 여러 가지 음식을 골고루 먹는 것이 좋습니다. 아무리 좋은 음식이라도 한 가지만 먹는 것은 좋지 않습니다.

기자 네, 박사님, 말씀 감사합니다. 오늘은 김 박사님을 모시고 건강한 생활을 위한 식습관에 대해서 들어 보았는데요. 도움이 되었으면 좋겠습니다.

4과 1항 과제 2 [CD1:36]

미라야, 나 제인인데. 잘 있었어? 이번 주 토요일에 내가 연극 공연을 하는데 오지 않을래? 연극 제목은 '미녀와 야수'이고 내가 주인공이야. 그런데 관객이 너무 적을 것 같아서 걱정이야. 사람들한테 많이 알리지 않았거든. 가능하면 네 친구들도 많이 데리고 와. 알았지? 공연 장소는 우리 학교 학생 회관 3층이고 시간은 오후 5시야. 꼭 와야 해. 기다릴게.

듣기 지문

4과 3항 과제 2 [CD1:41]

남자 와, 오늘 공연 정말 좋았지?

여자 응. 말로만 듣던 그 공연을 직접 내 눈으로 보니까 더욱 더 감동적이었어.

남자 그래. '백문이 불여일견'이라고 백 번 듣는 것보다 내가 직접 눈으로 보는 게 더 낫던데.

여자 맞아. 배우들의 연기뿐만 아니라 노래, 춤 모두 다 너무 좋았어.

남자 마지막 장면의 노래는 정말 신나지 않았니?

여자 아, 그 장면? 맞아. 나도 모르게 같이 노래를 따라 불렀어.

남자 난 요즘 회사일로 좀 우울했었는데 이 공연을 보고 나니까 그동안 쌓인 스트레스가 풀리는 것 같아.

여자 나도 그래. 우리 2차로 시원한 맥주 한잔하면서 남은 스트레스를 완전히 풀어 볼까?

남자 그래. 좋아. 가자.

5과 1항 과제 2 [CD1:47]

　지금부터 제 친구에 대해서 이야기를 할까 합니다. 제 친구의 이름은 김영수입니다. 영수는 부산에서 태어났습니다. 그래서 말을 할 때마다 부산 억양이 느껴지고 사투리도 많이 씁니다. 저는 이 친구를 대학교 동아리에서 만났습니다. 동아리 이름은 '미술 사랑'으로 그림에 관심이 있는 친구들이 모여서 만든 동아리였습니다. 영수는 농담도 잘 하고 언제나 웃는 얼굴이었기 때문에 친구들에게 인기가 많았습니다. 영수는 원래 경영학과를 다니고 있었는데 그림에 관심이 많고, 또 실력도 뛰어났습니다. 대학을 졸업한 후에 영수는 이탈리아로 유학을 갔습니다. 그곳에서 영수는 다시 대학에 입학해서 의상 디자인을 공부했습니다. 졸업 후 이탈리아에서 10여 년 간 활동한 영수는 얼마 전 귀국했습니다. 영수는 이탈리아에서 인정받는 디자이너였기 때문에 한국에 와서도 많은 사람들의 환영을 받았습니다. 얼마 전 열린 그의 패션쇼는 정말 대단했습니다. 저는 영수의 성공 뒤에는 그의 끊임없는 노력이 있다는 것을 압니다. 영수는 정말 멋진 친구입니다.

학생   선생님 안녕하세요? 학교 신문사에서 나왔습니다. 우리 학교 인기 선생님에 대한 기사를 쓰려고 하는데요. 잠깐 인터뷰를 해도 될까요?

선생님   응, 그래.

학생   감사합니다. 첫 번째 질문인데요. 선생님의 인기 비결이 뭐라고 생각하세요?

선생님   글쎄, 재미있고 쉽게 가르치려고 노력하는 게 아닐까?

학생   학생들에게 화를 내신 적이 없다고 들었는데 정말인가요?

선생님   음, 화를 내고 싶을 때도 있지만 화를 내기보다는 학생들을 이해하려고 하지.

학생   선생님께서는 수업 시간에 여러 가지 이야기도 많이 해 주신다고 하던데요.

선생님   나는 고등학교 때는 앞으로 자신이 무슨 일을 할지 생각해야 하니까 공부 뿐만 아니라 다양한 것에 대한 관심이 필요하다고 봐.

학생   어떻게 그렇게 다양한 분야의 지식을 쌓을 수 있으셨어요?

선생님   글쎄, 아마 책을 많이 읽는 것이 도움이 되는 것 같은데.

학생   아, 저도 책을 더 많이 읽어야겠네요. 마지막 질문인데요. 요즘 학생들에 대해서 어떻게 생각하세요?

선생님   요즘 학생들은 인터넷으로 많은 지식을 얻을 수 있으니까 내 이야기를 재미없어할까 봐 걱정이 되기도 해.

학생   아니에요, 선생님. 다들 선생님 수업이 제일 재미있대요.

색인 - 문법 색인
- 어휘 색인

문법색인

어휘 색인